EL PADRE AMARO

VICENTE LEÑERO

EL PADRE AMARO

Novela

Título original: *El Padre Amaro*

Primera edición: octubre de 2003

© 2003, Vicente Leñero
© 2003, Random House Mondadori, S.L.
   Travessera de Gràcia, 47-49, 08021, Barcelona, España
© 2003, Editorial Grijalbo, S.A. de C.V.
   Av. Homero #544, Col. Chapultepec Morales,
   Deleg. Miguel Hidalgo, C.P. 11570, México, D.F.

ISBN 970-05-1662-8

Portada: Departamento de Diseño
Composición tipográfica: Víctor Daniel Abarca
Impreso en México/ *Printed in Mexico*

PRÓLOGO

En mayo del 2002, a petición de Braulio Peralta como director editorial de Random House Mondadori México, escribí la siguiente introducción para una edición de bolsillo de *El crimen del padre Amaro*, de José María Eça de Queiroz, en traducción de Damián Álvarez Villalaín:

Entre 1875 y 1878, a la edad de 30-33 años, el portugués José María Eça de Queiroz publicó sus dos novelas emblemáticas: *El crimen del padre Amaro* y *Mi primo Basilio*.

Eça de Queiroz había nacido en 1847 en Vila del Conde (algunos dicen que en Povoa de Varzim porque fue hijo natural y aún existen confusiones por el enredo de su acta de nacimiento), y después de estudiar leyes en Coimbra trabajó como cónsul de su país en La Habana, Newcastle, Bristol y París.

El crimen del padre Amaro: escenas de la vida devota fue siempre la novela consentida del portugués que reconocía a Balzac y a Flaubert como sus grandes maestros. Consciente de que era la obra central de su vida literaria la retrabajó continuamente en la *Revista Occidental*. Luego se publicó la de 1875, con tiraje de ochocientos ejemplares, y en 1880, con nuevas correcciones, añadidos y supresiones de un escritor que nunca abandona sus textos, se editó la que él llamó versión definitiva, pero que también fue puliendo y modificando en sucesivas ediciones.

Como ocurriría cien años después con *El evangelio según Jesucristo* de José Saramago, *El crimen del padre Amaro* cayó en el católico ambiente de Portugal "como un explosivo", informa Julio Gómez de la Serna, biógrafo de Eça de Queiroz. Escandalizó a portugueses timoratos y a directores espirituales, pero terminó asombrando a quienes vieron en el magistral trazo de personajes y costumbres una pintura realista, descarnada, de la clase clerical de ese país —se podría decir que de Europa y quizá del mundo—. Denunciaba sin exabruptos las entretelas de la política eclesiástica local, la hipocresía de sus sacerdotes, su poder absoluto, su disimulada soberbia. Ponía en la mira, sobre todo, un tema que sigue resultando actualísimo: el conflictivo celibato sacerdotal.

Nunca se pudo, no se puede, acusar a Eça de Queiroz de errores teológicos, de fallas dogmáticas. Profundamente cristiana en lo que atañe al amoroso entendimiento de la condición humana, su novela se atiene a desmenuzar la vida doméstica de los pobladores de Leira: un pueblecillo al sur de Coimbra, en la región de Extramadura, que en su época de estudiante el novelista observó con el bisturí de la mirada para ubicar allí la que sería su historia. En ese ambiente regido por la autoridad de los ministros de la Iglesia —obligados éstos a ser ejemplo de lo que predican en el púlpito—, las inevitables transgresiones a la moral en uso se convirtieron en cataclismo. Surge entonces el drama cuyas consecuencias frente a la comunidad es necesario paliar, encubrir, disimular para mantener intacto el sistema. El orden no se recobra sin generar víctimas. Y la víctima de esta tragedia pueblerina, el cordero inmolado por el sacerdote pecador, termina siendo por fuerza la dulce Amelia, uno de los personajes femeninos más entrañables de la novelística del diecinueve.

Quienes en su época impugnaron al portugués no tardaron en mostrar sus uñas. Para desprestigiarlo lo acusaron de haber plagiado una novela de Zola que sólo se parecía a *El crimen del padre Amaro* por el título: *El pecado del abate Mourel*. El propio Eça de Queiroz, en la introducción de 1880 a la versión definitiva de su libro, demostró la imposibilidad de este señalamiento peregrino. La novela de Zola se había publicado en 1875, cuatro años después de que *Amaro* apareció en la *Revista Occidental*. Más alegórico que realista, el tema del francés es "la iniciación del primer hombre y la primera mujer en el amor": una compleja reelaboración del mito de Adán y Eva en los que nadie reconocería a la pareja de Amaro y Amelia.

Si de semejanzas se trata, sería más acertado encontrar una más cercana en la novela de Leopoldo Alas, *Clarín*: *La regenta*. Y la influencia gravitaría más bien de Eça de Queiroz hacia *Clarín*, porque el célebre libro del español se publicó hasta 1885. Sin embargo, también aquí los personajes de Ana la regenta y Fermín su confesor distan mucho de los protagonistas de *El crimen del padre Amaro*. Los emparenta sólo el tema de la pasión sexual de un ministro de la Iglesia y el inevitable anticlericalismo que deriva de los acontecimientos narrados.

Preocupación frecuente de los novelistas del diecinueve, los curas incontinentes abundan en las páginas de una narrativa que, preocupada por reflejar los dramas de una sociedad bajo el catolicismo, enfoca sin remedio las miserias de su clero: no tan virtuoso ni tan ejemplar como se empeñaba en sostener la literatura devota a la que Eça de Queiroz ironiza con el subtítulo original de *Amaro: escenas de la vida devota*.

La preocupación por los curas amaina durante el siglo veinte, quizá porque también amaina la hegemonía política de la institución. Y son precisamente novelistas católicos quienes retoman al sacerdote como personaje dramático sitiado entre la carne y el espíritu, entre el pecado y la gracia. Los curas de Graham Greene, de François

Mauriac, de George Bernanos ilustran, como querían los escritores liberales del diecinueve, una conflictiva religiosa, pero ésta ya no se limita ahora a la percepción naturalista de una conducta en crisis, sino que ahonda en las preguntas metafísicas sobre la fe y la moral. La cuestión se antoja semejante, pero la diferencia es inmensa. De un realismo naturalista se ha saltado a un realismo que presupone a Freud y a la teología moderna.

Con todo, Eça de Queiroz, en su tiempo, en su circunstancia y con su metodología literaria supo resolver muy bien la denuncia de una clase atrapada en falso por la misma moral de la predicación cajonera. Su gran novela denota una innegable vigencia para los lectores de este siglo que empieza sin ver resueltos aún muchos de los pecados de un clero de mentalidad similar a la del clero del diecinueve.

Convencido precisamente de la vigencia de esta historia, el productor de cine Alfredo Ripstein vivió obsesionado con la idea de convertir en película *El crimen del padre Amaro*. La había leído en su juventud y siempre pensó, dice, trasladarla a la pantalla; no ubicándola desde luego en la Leira portuguesa de los años mil ochocientos, sino en la provincia mexicana de nuestros días.

El proyecto se aplazó varios años luego de que Ripstein encargó a quien esto escribe la elaboración de un guión cinematográfico sobre *Amaro*. Se trataba de eso: de conservar el nudo central de la historia y de encontrar equivalencias mexicanas a la galería de personajes y al complejo nudo de situaciones que llenan las quinientas páginas de la novela de Eça de Queiroz.

Mis primeros intercambios con Felipe Cazals sobre los criterios de la adaptación para un primer acercamiento a la historia contemplada desde nuestra realidad, me resultaron básicos. Luego, cuando la película fue encomendada al director Carlos Carrera, pensamos juntos en radicalizar la visión del clero de provincia para aludir también a problemas actuales de México, como las narcolimosnas y los sacerdotes de la teología de la liberación.

Aunque los lectores o relectores de esta novela serán quienes juzguen la eficacia de la adaptación —en términos de su vigencia— y el resultado de su puesta en pantalla, los que trabajamos en la película, desde el esforzado Alfredo Ripstein hasta los actores y técnicos, estamos convencidos de haber realizado un trabajo serio y respetuoso de la idea original. Tal vez parezca otra historia, pero se mantiene vivo el propósito que animaba a José María Eça de Queiroz cuando hace ciento veinticinco años escribía y corregía las incidencias de *El crimen del padre Amaro*.

Poco antes de que se estrenara en agosto de 2002 *El crimen del padre Amaro* vuelto película, organizaciones de católicos incondicionales de la jerarquía eclesiástica y buen número de obispos mexicanos condenaron en forma virulenta la cinta —muchos ni siquiera la habían visto—, solicitaron a las autoridades del gobierno que la prohibieran y pidieron a los fieles católicos, hasta con amenazas, que se abstuvieran de verla. El escándalo fue mayúsculo, tanto como el éxito de público que se produjo merced, en gran medida, a ese intento ridículo de censura (véase el apéndice de este libro). Luego, la cinta obtuvo varios premios y distinciones en México y en el extranjero.

Ahora que la versión para cine de *El crimen del padre Amaro* concluyó su ciclo normal de exhibiciones, decidí devolverle a la historia su condición original de novela. Como siempre lo he dicho, y como sentí al trabajar el guión, mi tarea se apartaba —para mal y para bien— del texto de Eça de Queiroz. Se apoyaba sí, desde luego, en el eje central de su historia, en sus personajes y en sus incidencias más sobresalientes, pero anclado como estaba a la realidad del México de nuestros días, tenía por fuerza que tomar caminos propios. La obra se hizo mía en el guión y más mía se ha hecho en esta noveleta que rescata características cinematográficas pero que descubre también, gracias a su régimen narrativo, posibilidades de expresión que el género película no toca. Es un ejercicio literario al revés. El guión nació como versión libre de una novela, y ahora esta pequeña novela nace como versión libre de ese guión. Como eso, como un

13

ejercicio literario, la presento a los lectores sin pretensión alguna.

Me he atrevido a condensar el título llamándola sólo *El padre Amaro* para tomar la debida distancia con la novela de José María Eça de Queiroz y con la película de Carlos Carrera.

EL PADRE AMARO

1

Un paisaje árido y pedregoso se desliza por la ventanilla de un autobús foráneo como una cinta cinematográfica. Lo está mirando un joven veinteañero cercano a los treinta. A su lado, en el asiento del pasillo, va un viejo con sombrero de soyate. El viejo campesino pregunta de sopetón, sin que venga al caso:

—¿Usted también va a Santa Marta?

—Yo me quedo en Los Reyes —dice el joven.

Al viejo campesino se le suelta la lengua:

—Junté un dinerito, lo que me dieron por mis parcelas —dice indicando un paliacate rojo convertido en bulto que sostiene en la entrepierna y oprime con las manos—. Voy a poner una tienda allá por Santa Marta. Si la tienda no da, entonces sí me lanzo al otro lado. Tengo una hija en Arizona.

—Qué bien —dice el joven.

El autobús sale de una curva y frena a media carretera cerca de un bosquecillo.

Junto a un cuatropuertas con el cofre levantado, una mujer alza y mueve las manos como para solicitar ayuda. La mujer corre hacia el autobús mientras el chofer hace girar la palanca para abrir la portezuela. Cuando la mujer sube los dos escalones saca de entre su suéter un pistolón. Detrás de ella trepan tres hombres que han brotado del cuatropuertas como en un acto de magia. En un abrir y cerrar de ojos asaltan a los pasajeros. Billetes, monedas, bolsos, relojes, collares, anillos.

El joven se desprende de su reloj de extensible dorado antes de que se lo pida la mano de un asaltante. El mismo asaltante forcejea luego para quitar al viejo campesino el bulto de su paliacate. El viejo campesino se resiste. Entonces el asaltante lo golpea con los nudillos de su mano empistolada. Le arranca finalmente el paliacate.

Los cuatro asaltantes salen corriendo del autobús.

—Ahí te ves, güey —le grita uno de ellos al chofer.

Los asaltantes abordan el cuatropuertas. El cuatropuertas gira en redondo y se dispara por la carretera en sentido contrario al viaje del autobús.

Cuando una hora más tarde el autobús se detiene en Los Reyes, el joven se levanta del asiento y observa de soslayo al viejo campesino con un párpado hinchado; una herida que brilla por la sangre le baja hasta el pómulo.

Antes de alejarse por el pasillo el joven extrae de su chamarra un paquete pequeño de billetes doblados y lo entrega al viejo. El viejo campesino no tiene tiempo de reaccionar, ni siquiera de dar las gracias. El joven ya está bajando del autobús.

2

Por el parque de fresnos en Los Reyes camina presurosa Amelia, una chica de dieciocho años. Lleva el cabello suelto, los ojos alertas como para mirarlo todo y unos pechos hermosos que el suéter abierto disimula.

Cuando llega al límite del parque se sorprende. Ahí está Rubén junto a su Chevy carcachón.

—¿No que andabas en Ciudad Aldama? —dice Amelia.

—Ya me dieron la planta en *El matutino*. Empiezo la semana próxima.

Rubén se aproxima. Trata de frotar los brazos de Amelia.

—Ahora sí nos podemos casar —dice Rubén mientras está a punto de besarla.

Amelia lo empuja.

—Nos van a ver.

—Vamos a platicar un rato.

—Ahorita no. Tengo a los niños de la doctrina.

—La doctrina es en la tarde, ¿qué no?

—Es que ya van a hacer su primera comunión y se me hizo tardísimo.

—¿Y yo qué?

—Nos vemos mañana.

—Mañana no puedo.

—Mañana en misa de ocho —insiste Amelia y se aparta. Cruza la calle.

3

En el atrio del templo de la Inmaculada cascarea una parvada de chiquillos con una pelota amarilla. Amelia y Chepina tratan de frenar el juego.

—Ya, se acabó. Todos a formar.

Amelia va hacia la pelota.

—A ver, Chente, trae acá esa pelota.

En lugar de obedecer, Chente puntea la pelota que vuela hasta la entrada del atrio cerca de la reja. Por ahí viene entrando el joven del autobús cargando una maleta. El joven del autobús detiene la pelota con el muslo y la rodilla, la deja resbalar por la pierna y hábilmente la domina. Con un leve puntapié la levanta y la atrapa con la mano izquierda.

Pelota en mano el joven del autobús llega hasta Amelia y Chepina. Pregunta:

—Perdón, ¿dónde encuentro al padre Benito?

Amelia tarda en señalar con el brazo hacia el interior del templo. El joven del autobús sonríe, como diciendo gracias, y se encamina hacia el templo luego de soltar la pelota.

—¿Quién es? —pregunta Chepina a Amelia cuando el joven del autobús se ha retirado.

Amelia alza los hombros a manera de respuesta.

4

El joven del autobús avanza por el pasillo central del templo vacío. Es un templo grande repintado de blanco. Austero, con pocas imágenes. Sobresale detrás del altar, en un nicho, la imagen de bulto de la Inmaculada Concepción casi de tamaño natural.

5

En una salita de la casa cural, el padre Benito rompe con cuidado la orilla de un sobre blanco. Es un viejo setentón, enteco, de mirada maliciosa. Frente a él se encuentra el joven del autobús.

—Así que tú eres el padre Amaro —dice el padre Benito mientras extrae y desdobla una hoja blanca escrita a máquina—. Tenía muchas ganas de conocerte.

El padre Benito sabe muy bien quién es el padre Amaro. El obispo de la diócesis de Aldama le ha hablado de él: lo conoció en el seminario de Chihuahua, poco antes de su ordenación, y le echó el ojo para convertirlo, andando el tiempo, en su coadjutor.

—Te estima mucho el señor obispo —dice el padre Benito mientras echa un ojo a la carta—. Quiere foguearte en este pueblo y luego mandarte a Roma para que estudies derecho canónico.

—Yo sólo quiero servir a Dios, padre.

El padre Benito sonríe por la obviedad de la respuesta.

—Te manda conmigo, que soy un ogro, para ponerte a prueba.

El padre Benito muestra al padre Amaro la casa cural. Es pequeña. La habitación más grande es la sala-biblioteca. Ahí se reúnen, mes a mes, algunos sacerdotes de la diócesis para discutir temas de la pastoral —formaron durante seis meses un seminario de Biblia que nunca funcionó— o para cambiar impresiones simplemente.

La recámara del padre Benito —de la que sólo muestra la puerta cerrada— está junto a la sala-biblioteca y da a un pasillo enmosaicado que comunica con el único cuarto de baño de la casa, con la pequeña cocina, con esa salita de recepción para asuntos administrativos del templo, y con un angosto pasillo que topa con lo que será el cuarto del padre Amaro. Tiene tres años vacío —explica el padre Benito— porque en ese tiempo no ha habido más habitante de la casa cural que el párroco.

—La Sanjuanera se encarga del aseo, y yo como y ceno en su fonda. Tú tendrás que hacer lo mismo.

Cargando la maleta, el padre Amaro se instala por fin en su nueva habitación. Es un cuarto austero, encalado, con piso de mosaico. Una cama ocupa la mitad del espacio. Encima de la cabecera cuelga un crucifijo que al padre Amaro le recuerda el que le dejó su madre al morir, cuando él tenía diez años. En la habitación hay, además, un pequeño armario, una mesita de madera con silla y un clóset pequeñísimo.

El padre Amaro se santigua de pie, frente al crucifijo, como si saludara su nueva vida.

6

El chevy de Rubén transita por las calles empedradas de Los Reyes. Se detiene frente a una casa pintada de azul, de ventanas a la banqueta.

La casa pertenece a don Paco, padre de Rubén. Es un español de aquellos refugiados de la guerra civil que llegaron a México como *niños de Morelia* a fines de los años treinta. Tiene fama de jacobino.

Rubén encuentra a su padre jugando ajedrez con el Doc, el médico del pueblo: un viejo ladino de barbitas. Están en la sala repleta de libros.

—¿Cómo está, Doc? —saluda Rubén.

—Aquí, pichoneando a tu padre —responde el Doc mientras hace saltar hacia delante su caballo negro.

Don Paco aparta su mirada del tablero para preguntar a su hijo:

—¿No que ibas a ir al cine con Amelia?

—No pudo. Tenía que dar catecismo todo el día.

—A esa niña le tienen sorbido el seso con tanta rezadera —dice don Paco—. Búscate una chica liberal, hijo, no una tragahostias.

—Aguas con mi caballo que te va a dar jaque doble —anuncia el Doc.

Don Paco mueve distraídamente un peón y dice al Doc:

—¿Sabías que Rubén va a trabajar en un periódico de Ciudad Aldama?

—¿Y de qué? —dice el Doc, atento siempre a las piezas.

—De reportero.

—Cuando te pidan un reportaje de ésos que sacan ámpula, hazlo sobre los curas de por aquí —dice don Paco—. Yo te paso información. Me los tengo bien fichados.

El Doc vuelve a mover su caballo.

—Te lo avisé. Jaque doble a tu rey y a tu dama.

Don Paco mira al fin el tablero:

—¡Me cago en la hostia!

7

A media noche, en mameluco de dormir, el padre Benito está sentado en la orilla de su cama, en la casa cural. Sostiene la bocina del teléfono junto a la mesita de noche. Del otro lado de la cama se perfila apenas la figura de una mujer obesa.

—Recibí su envío pero está en dólares, don Chato —dice el padre Benito al teléfono—. Yo no puedo cambiarlos.

La figura femenina se levanta de la cama por el otro lado y cruza hacia la puerta.

Sin soltar el teléfono, el padre Benito cubre la bocina para decir alarmado:

—¿Adónde vas?

—Al baño.

—No, no —dice el padre Benito con la bocina cubierta, pero no consigue detener a la figura femenina que sale de la recámara.

También sale de su cuarto, en calzoncillos, el padre Amaro. Desde el estrecho pasillo que comunica con el corredor principal alcanza a ver en penumbras la figura femenina caminando hacia el cuarto de baño. Permanece quieto.

8

El sacristán Martín es un cuarentón de barba rala. En la sacristía del templo ayuda al padre Amaro a ponerse la ropa talar para la misa.

Con los ojos entrecerrados, concentrado en su tarea, el padre Amaro se coloca el alba, la casulla. El ceremonial recuerda al de un torero vistiéndose.

—Ojalá pueda ver a mi criatura —dice Martín mientras le entrega el cáliz cubierto con la patena—. Me preocupa mucho porque la otra vez/

Lo interrumpe el padre Amaro:

—Cuando me pongo los ornamentos guarda silencio, Martín, por favor. —Y cierra los ojos para musitar una oración.

9

El padre Amaro oficia su primera misa en el templo de la Inmaculada. Asisten pocos fieles. La mayoría son ancianas enrebozadas.

En el momento de la comunión sacerdotal, el padre Amaro sujeta con los índices y pulgares la hostia consagrada, realiza una genuflexión, se yergue y la presenta a los fieles:

—El cuerpo de Cristo conserve mi alma para la vida eterna.

Algunos asistentes a la misa forman fila en el pasillo central para recibir la comunión.

Llega el turno de Amelia. Su mirada se cruza brevemente con la del padre Amaro.

El padre Amaro deposita la hostia en la lengua de Amelia mientras dice:

—El cuerpo de Cristo.

Amelia hunde su lengua con la hostia e inclina la cabeza antes de retirarse.

Detrás de Amelia comulga Dionisia. Es una beata andrajosa, flaquísima y greñuda que tiene fama de loca.

Con las manos unidas como la imagen de la Inmaculada, Amelia regresa hasta una banca junto a Rubén. Se arrodilla en el reclinatorio con los ojos cerrados y la cabeza entre las manos. En la banca posterior a la banca de Amelia y Rubén se arrodilla Dionisia. Cubriéndose el rostro con el viejo misal de cantos dorados, abierto, la beata escupe disimuladamente la hostia entre las hojas. Luego cierra el misal rápidamente. Se yergue un poco. Su cabeza casi toca la nuca de Rubén. Le susurra:

—A Amelia le gusta el nuevo cura.

Rubén gira con rapidez para mirar a la beata.

10

Amelia y Rubén van saliendo del templo. Caminan por el atrio.

—Este cura es nuevo, ¿verdad? —dice Rubén.

—¿Todavía estás enojado? —pregunta Amelia.

—¿No me ves aquí?

—Pero nunca comulgas.

—Porque no creo en esas cosas.

Amelia se detiene de golpe.

—¿No crees en Dios, Rubén? Nunca me lo habías dicho.

—A ti te importa más la doctrina y los curas que lo nuestro.

—Contéstame, Rubén, ¿crees en Dios?

—La religión es una manera de someter a la gente, todos lo saben. La Iglesia es una aliada de los poderosos, Amelia.

—¡Eres comunista! —exclama Amelia.

Rubén reanuda el paso pero Amelia lo detiene.

—No, no, espérate, vamos a platicar de esto.

—Tengo prisa —dice Rubén—, me voy a Ciudad Aldama. Me llamaron del periódico.

Dionisia rebasa a la pareja. Dice alegre a los jóvenes, sin detenerse:

—Adiós, Amelita. Que Dios los bendiga.

11

Dionisia ha llegado a una zona marginal de Los Reyes. Se orienta entre las apiñadas construcciones hasta el jacal paupérrimo donde vive. Hay niños desnudos jugueteando en los charcos. Mujeres que cruzan. Gritos brotando por donde quiera. Música atronadora que sale de un radio.

La vivienda de Dionisia consiste en un cuarto único. Está repleto de imágenes de santos, de veladoras y objetos religiosos. El desorden es absoluto. Tiradero de ropa y de trastos y media docena de gatos que apestan el sitio.

En un cesto reposa una gata negra enorme. A ella se dirige Dionisia:

—Ya llegué, chiquita.

Dionisia camina hasta un mueble de madera coronado por una imagen del Sagrado Corazón, entre veladoras e imágenes más pequeñas, de bulto o impresas como estampitas: san Martín de Porres, la virgen de Guadalupe, san Jorge y el dragón, la virgen de Fátima/ Abre un cajón. Extrae un alhajero donde guarda las hostias. Antes de depositar ahí la que recibió esa mañana le arranca un pedacito y con él se dirige a la gata negra.

—Te traje tu medicina.

Brillan como chispas los ojos amarillos del animal.

12

La fonda de la Sanjuanera se ubica en la calle principal de Los Reyes, cerca del templo de la Inmaculada. Hacia la fonda caminan el padre Benito y el padre Amaro.

La Sanjuanera es una mujer gorda, cincuentona y de bellas facciones. Simpática, dicharachera. A ella le presenta el padre Benito al padre Amaro. La Sanjuanera estrecha la mano del nuevo sacerdote, sonriendo.

—Ya me contó mi hija que era muy joven y muy guapo —dice la Sanjuanera.

El padre Benito la corta en seco:

—Los sacerdotes no son jóvenes ni guapos. Son ministros de Dios.

El padre Benito se adelanta para llegar hasta su mesa de siempre. La Sanjuanera detiene de un brazo al padre Amaro sin dejar de sonreír.

—Es un cascarrabias, no le hagas caso. Ya verás qué bien se come aquí.

El padre Benito ha tomado asiento. Levanta el salero y arroja un poco de sal sobre el dorso de su mano. La lame. El padre Amaro se sienta en esquina con él.

—El sábado en la noche vamos a tener esa reunión que te dije —dice el padre Benito—. Con los sacerdotes de la diócesis.

—Ah, sí.

—El señor obispo anda muy preocupado por el padre Natalio. De eso vamos a tratar en la reunión.

Mientras el padre Benito habla, el padre Amaro se distrae con la llegada de Amelia a la fonda. La ve dirigirse a donde se encuentra la Sanjuanera, cruzar con ella unas palabras, encaminarse luego a la mesa mientras se ata un delantal.

—Buenas tardes, padre —saluda Amelia al padre Benito. En seguida se dirige al padre Amaro: —¿Qué le voy a dar de tomar? ¿Una sangría, una cervecita helada?

—Un vaso de agua está bien —responde el padre Amaro.

—Es la hija de la Sanjuanera —explica el padre Benito.

El padre Amaro se sorprende, pero dice:

—Sí, la conocí en misa.

—Perdón por lo de la otra vez, en la doctrina. No me imaginé que usted fuera sacerdote.

—Pues ahora ya lo sabes, niña —dice enérgico el padre Benito.

Amelia mira al padre Benito.

—A usted su tequilita, ¿verdad?

El padre Benito está bebiendo ya el último sorbo del tequilita. Frente a él y frente al padre Amaro se encuentran sendos platos de arroz con jitomate, chile y cebolla picados. Mientras comen el arroz, el padre Benito habla.

—Lo que no te he dicho, pero me importa mucho que lo conozcas, es la construcción que estamos haciendo. Tú te vas a encargar de eso cuando se termine.

—¿Qué construcción, padre?

—Un dispensario en las afueras para toda la diócesis. Me la encargó el señor obispo.

—Ah, qué bien. Una obra social.

—No sabes las limosnas y la pedidera que he tenido que hacer. Todavía le falta mucho, pero necesitas conocer la obra.

Amelia ha llegado con dos platos de un guisado de puerco en salsa de jitomate. Alcanza a escuchar parte de la conversación mientras los coloca en la mesa, a un lado, para retirar antes los platos de arroz ya consumidos.

—Yo puedo llevar al padre al dispensario —dice Amelia—, me encantaría.

En el momento de servir los platos, Amelia inclina uno de ellos sin querer y provoca que se derrame un hilo de salsa sobre la camisa del padre Amaro. Amelia hace un escándalo:

—¡Ay!, mire nomás, ya lo manché. Qué tonta soy.

Péreme, péreme, qué barbaridad.

Amelia ha tomado una servilleta de papel y con ella trata de limpiar la camisa del padre Amaro. El padre Benito parece molesto.

—Ya, niña. Ya está bien, ya está bien.

Amelia interrumpe su acción. Sonríe aún avergonzada. Termina de colocar los platos del guisado frente a los sacerdotes. Insiste luego:

—Yo puedo llevar al padre al dispensario.

—Lo va a llevar Martín —gruñe el padre Benito—. Para eso está el sacristán.

13

Un auto que hace servicios de taxi en la zona se detiene frente a una obra en construcción: aparatosa por su tamaño y por el número de albañiles que trabajan en ella. Del taxi salen Amelia y el padre Amaro.

—No pensé que fuera tan grande —exclama asombrado el padre Amaro—. ¡Qué barbaridad, es enorme!

—El padre Benito le dice dispensario, pero va a ser un hospital en toda forma —dice Amelia. Y lo incita a que avancen: —Venga para acá.

Amelia conduce al padre Amaro por el interior de la obra: se ve muy avanzada. La muchacha se tropieza de vez en cuando y en esos momentos el padre Amaro la sujeta del brazo.

—Me parece que ahí va a estar el asilo de ancianos —va diciendo Amelia—. Allá el hospicio. Allá la zona de hospital.

—Se nota que la gente es muy generosa con sus limosnas.

—El presidente municipal y su esposa Amparito son los que más ayudan. Amparito es muy de misa diaria.

En el borde de un segundo piso deambula un joven de casco, con facha de ingeniero. Está comentando con un maestro de obras los planos que extiende. Desde lo alto apunta un saludo para el padre Amaro moviendo la visera del casco. Se sonríe con Amelia mientras algunos albañiles, desde diferentes puntos, lanzan silbidos de admiración a la muchacha.

—Tienes tu pegue —dice el padre Amaro.

—Quisiera tenerlo con mi novio.

—¿Es el muchacho que estaba contigo en misa?

—Se ha vuelto insoportable.

—No lo quieres.

—Sí, pero no estoy enamorada. ¿Sabe de quién sí me siento enamorada, enamorada?

—¿De quién? —pregunta el padre Amaro.

—De Dios. Él es mi único galán.

Amelia tropieza una vez más y la mano del padre

Amaro le impide caer. La sigue sujetando un rato largo luego de que ella se endereza.

14

Se enciende la hornilla de una estufa en la pequeña cocina de la casa cural. Una mano, con la palma hacia abajo, se extiende sobre las llamitas azules que produce el gas. Es la mano del padre Amaro. No la mantiene ahí durante mucho tiempo. La retira cuando el fuego le quema.

15

Las oficinas del periódico *El matutino* ocupan el segundo piso de un edificio en el centro de Ciudad Aldama, la capital del estado, a una hora y media de camino en auto desde Los Reyes.

En la sala de redacción se distribuyen los escritorios de los reporteros con sus respectivas computadoras. A la entrada se encuentra un casillero donde el director o el jefe de información colocan a diario las órdenes de trabajo para cada quien.

Rubén acaba de tomar la suya y la va leyendo mientras avanza hasta su escritorio. Se topa con Galarza, el director.

—¿Alguna duda con tus órdenes de trabajo?

—Ninguna, señor —dice Rubén—. Ahora mismo busco al líder del sindicato.

—No pareces muy entusiasmado.

—Es que me gustaría trabajar un reportaje especial para demostrarle que sirvo.

—¿Tienes un buen tema?

—Mi padre me sugería un asunto sobre/

Rubén se interrumpe. Se arrepiente de lo que pensaba decir.

—Sobre qué —pregunta Galarza.

—Tal vez una encuesta con ex gobernadores sobre los nuevos presidentes municipales/

Ahora es Galarza quien lo interrumpe:

—Los ex gobernadores están quemadísimos, Rubén. No. Búscate algo original y órale.

Galarza palmea la espalda de Rubén y se retira. Rubén toma asiento en su escritorio. En lugar de marcar el teléfono del líder del sindicato marca el número de la fonda de Los Reyes. Le contesta la Sanjuanera.

—Habla Rubén, señora. ¿Me podría comunicar con Amelia?

La respuesta de la Sanjuanera hace torcer el gesto de Rubén.

—Es la tercera vez que la llamo. Dígale por favor que me hable, que me urge. Ella sabe mi número. Es el doce treintaicuatro veintiséis, extensión quince. Dígale por favor que me perdone, que la quiero muchísimo.

Luego de colgar la bocina, Rubén permanece con los ojos fijos en la pantalla de la computadora. La enciende.

16

Parece un pequeño monstruo pelado a rape y de edad indefinida, entre diez y catorce años cuando más. Tiene el aire grotesco de quien padece retraso mental. Se contorsiona de continuo, gesticula y babea. Lo único normal son sus ojos negros muy grandes con los que trata de expresar lo que no puede decir con palabras.

—El día que nació murió su madre —dice Martín al padre Amaro—. Desde siempre ha estado así. No puede caminar y a veces le dan ataques.

El catre donde habita el animalito está a la entrada de la humilde vivienda de Martín, cerca de una escalera de tablas que conduce a un tapanco. Es una vivienda modesta en las afueras de Los Reyes.

—¿Es hombre o mujer?

—Es Getsemaní —responde Martín—. Así la bautizó el padre Benito.

—¿Puede hablar?

—Cuando quiere.

Martín se inclina hacia Getsemaní.

—A ver, Getsemaní, saluda al padre Amaro.

Gruñe Getsemaní. Pronuncia palabras incoherentes mientras sonríe con sus ojos negros.

—Pero entiende todo. ¿No tendrá el diablo dentro, padre?

—Desde luego que no.

—El padre Benito le hizo una vez un exorcismo.

—¿Qué dicen los médicos?

—Le han hecho todo, y no atinan. Ni los doctores ni los curanderos ni los brujos. Ora nada más le doy unos chochos para los ataques.

El padre Amaro se aproxima a Getsemaní y con la mano derecha le acaricia la cabeza rapada. Getsemaní se contorsiona como si le molestara la caricia y escupe un gargajo sobre el rostro del padre Amaro.

Un manotazo de Martín hace gemir a la criatura mientras el padre Amaro se limpia el gargajo con su pañuelo.

17

En partido nocturno el Guadalajara juega contra el América. La imagen graneada de un viejo televisor, en la sala-biblioteca de la casa cural, transmite el partido.

El más emocionado es el padre Mauro, párroco de Santa Marta. Él y el padre Natalio —un cuarentón moreno, delgaducho—, beben cerveza a pico de botella. También el padre Amaro está atento al partido aunque sólo pellizca cacahuates de una charolita de barro.

Desde media distancia, sorpresivamente, un jugador del Guadalajara dispara un trallazo contra la portería contraria.

—¡Goool! —grita el padre Mauro—. ¡Qué golazo!, ¿vieron? ¡Ésas son mis chivas! ¡Golazo!

El padre Benito entra en la sala-biblioteca con un legajo de papeles.

—Apaguen ya esa tele.

—Espérese, padre —protesta el padre Mauro—. Está acabando el partido, faltan cinco minutos.

El padre Benito toma el control remoto y apaga el televisor.

—Vamos a lo nuestro, ya no creo que llegue nadie más.

—El padre Galván está en la cocina —dice el padre Natalio.

—Da lo mismo —dice el padre Benito y toma asiento en la cabecera de la mesa—. ¿De qué estaban hablando?

—Del clásico Chivas-América, por supuesto —sonríe el padre Mauro.

—Cuando llegamos, el padre Amaro nos estaba diciendo del celibato —dice el padre Natalio—. De que van muy en serio las gestiones en el Vaticano para volverlo opcional.

—Si se volviera opcional se acabarían muchos problemas en la Iglesia —dice con intención el padre Amaro—. ¿No cree, padre Benito?

—¡Ésas son pendejadas! —se enoja el padre Benito. Luego baraja sus papeles y se dirige al padre Natalio: —Lo que ahora nos importa, a nosotros, son las acusaciones contra usted.

—¿Qué acusaciones? —parece sorprenderse el padre Natalio—. ¿Qué hice?

Antes de que el padre Benito conteste o lea alguno de sus papeles, entra en la sala-biblioteca el padre Galván, un sacerdote tan gordito como simpático. Carga un enorme platón de espagueti que pone en el centro de la mesa mientras va diciendo:

—Abran paso, señores. En su vida han probado nada igual. —Se seca el sudor de la frente: —Este banquetazo es para recibir al padre Amaro, el consentido de monseñor.

—No digas eso, por favor —protesta el padre Amaro.

—Pero cómo no lo voy a decir, si me lo acaba de confirmar el propio obispo —insiste el padre Galván—. Mi hijo muy amado en el que tengo todas mis complacencias.

—No blasfeme, padre Galván —lo regaña el padre Benito.

El padre Galván musita un "perdón, perdón" y se dirige a sus compañeros refiriéndose a su espagueti:

—Sírvanse, muchachos, sírvanse que está para chuparse los dedos.

Mientras los sacerdotes empiezan a servirse en los platos de plástico y el padre Galván descorcha dos botellas de tinto, el padre Natalio mira al padre Benito:

—¿Cuáles son esas acusaciones contra mí?

—Los efectos de su maldita teología de la liberación.

—¿Pero qué tiene que ver la teología de la liberación con la agresión a mis campesinos?

—El señor obispo tiene datos muy precisos.

—¿Datos de qué?

—De que usted está protegiendo y ayudando a los guerrilleros de la cañada.

—¿A cuáles guerrilleros?

—Usted les da armas o se las esconde, no sé.

—Eso no es cierto —levanta la voz el padre Natalio—. En la cañada no hay guerrilleros, hay narcos. Los narcos de los hermanos Aguilar, padre. —Y lo señala con un tenedor: —Del Chato Aguilar.

—Estoy hablando de guerrilleros.

—Y yo estoy hablando de narcos. De los que invaden las parcelas de los campesinos; de los que obligan a sembrar amapola a la comunidad… o los matan si se niegan o si chivatean. ¡Ésos son los asesinos de mi gente!

—El señor obispo está al tanto de su ayuda a los guerrilleros —sube el tono el padre Benito.

—El señor obispo sabe también cómo el Chato Aguilar lava dinero con limosnas.

El pleito verbal entre el padre Benito y el padre Natalio mantiene en silencio a los demás sacerdotes. Parecen asustados, pero no dejan de enrollar sus tenedores con el espagueti. Respingan con el grito:

—¡Limosnas para su pinche centro hospitalario, padre Benito!

—¡Usted no entiende nada!

—¡Entiendo todo! —exclama el padre Natalio, con lo que fuerza al decano de los sacerdotes de la diócesis a levantarse de golpe.

—Si no quiere hacerme caso, ¡aténgase a las consecuencias, padre Natalio!

El padre Amaro interviene poniendo una mano sobre el hombro del padre Benito:

—Escúchelo, padre. Parece interesante lo que dice.

El padre Benito se sacude la mano del padre Amaro y lo hace a un lado de un empellón.

—Quítate, escuincle. Tú no sabes nada de esta diócesis. —Y abandona la sala-biblioteca dando un portazo.

Como si hubiera caído una losa, un profundo silencio aplasta el convivio. Habla al fin el padre Galván con la boca llena:

—No eches a perder la cena, Natalio, siempre la pasamos muy bien.

Un par de horas después concluye la cena. Repitiendo platos del sabroso espagueti, bebiendo hasta terminar la tercera botella de tinto, los sacerdotes reunidos se han dedicado a conversar de sus respectivas tareas.

La ausencia del padre Benito parece darles cuerda. El padre Amaro platica sus experiencias en el seminario hasta su ordenación, y reconoce la predilección que ciertamente le ha dispensado el obispo de Aldama. El padre Mauro habla de los coros que organiza en los templos de la diócesis, con los catequistas jóvenes, y de sus cursos de Biblia en la comunidad. El padre Galván, que ha bebido más que todos, presume de sus artes culinarias pero también se queja de las monjas clarisas que lo aburren con sus confesiones estúpidas, según él.

El más parco ha sido el padre Natalio, aunque a instancias del padre Amaro se pone a explicar los principios de la teología de la liberación, cuyo sólo enunciado pone de puntas los pelos del episcopado mexicano —dice—. Todo por culpa de ese papa polaco que tuvo el mal tino de condenarla de tajo en un tiempo en que la pastoral de la Iglesia impulsaba la opción por los pobres.

El discurso del padre Natalio termina aburriendo al padre Mauro. Ahora está viendo por el televisor una película mexicana mientras el padre Galván yace arrumbado en el sillón del párroco.

—Estoy pedísimo —dice el padre Galván cuando el padre Amaro y el padre Natalio tratan de levantarlo.

—Vámonos ya, Galván —insiste el padre Natalio—. Yo te llevo.

El padre Mauro apaga el televisor. Se aproxima para ayudar a los otros a levantar la mole en que se ha convertido el padre Galván a causa de su evidente sobrepeso.

—Pero díganme que estuvo genial el espagueti —suplica—. Fue en tu honor… consentido de Dios.

—Para chuparse los dedos —le responde sonriendo el padre Amaro.

Ya en la puerta de la casa, junto a un padre Galván tambaleante, el padre Natalio dice al padre Amaro:

—Me gustaría que visitaras mi comunidad de la cañada. Para que veas cómo trabajamos.

El padre Amaro lo detiene:

—Oye, eso que dijiste de las limosnas de los narcos, ¿es cierto?

—Lo sospecho. Realmente no sé. Se me fue la mano con el padre Benito, ¿verdad? Luego me disculpo, no te apures.

El padre Amaro regresa solo a la sala-biblioteca. Mira el tiradero. Los restos de comida. Las cervezas y las botellas de tinto vacías. Las servilletas y los vasos sucios. Apaga la luz general y luego se devuelve porque se quedó encendida una lámpara de pie. Junto a ella, en una mesita, observa iluminada una copa de tinto a medio llenar. La toma con ambas manos y la bebe muy despacio como si la comulgara.

18

Durante su breve gira por el centro de la República, el grupo rockero *Sangre de atole* se ha detenido en Los Reyes un fin de semana. Han publicitado sus tocadas con pósters, volantes de colores y mantas de banqueta a banqueta.

Ese sábado en la noche el padre Amaro sale a caminar y cruza por el viejo gimnasio donde se presentan los de *Sangre de atole*. El estruendo llega hasta la calle.

El padre Amaro se detiene en la banqueta y de lejos mira el interior del gimnasio. Los jóvenes se desarticulan con el baile. Ahí está Amelia, en minifalda, contorsionándose feliz en pareja con el ingeniero del centro hospitalario.

El padre Amaro la mira un rato y luego prosigue su camino. En sentido contrario avanza Dionisia. Se detiene al llegar junto al sacerdote y dice solemne:

—Va a caer lumbre del cielo, padre.

La beata prosigue su viaje.

19

En la fonda vacía de la Sanjuanera —todo el pueblo parece estar en el baile— el padre Benito hace tronar con los dientes una garnacha. La Sanjuanera está sentada junto a él con un gesto de amargura:

—¿Por qué ya no?

—Porque no —responde el padre Benito.

—Puedo ir cuando él esté diciendo misa, o a la hora de la siesta.

—No me impacientes, por Dios.

—O usted puede visitarme en la casa cuando no esté Amelia.

El padre Benito guarda silencio. Termina su garnacha.

—Ya no le importo, ¿verdad? —gime la Sanjuanera.

Rápidamente se pone en pie la Sanjuanera cuando ve entrar en la fonda al padre Amaro. Va hacia él como interceptándolo y le habla bajito para que no la escuche el padre Benito.

—Tengo algo muy importante que decirle, padre. Amelia se peleó con su novio y el pobrecito anda por la calle de la amargura.

El padre Amaro hace un gesto de interrogación levantando los hombros.

—Usted tiene mucha influencia con Amelita, padre. Convénzala de que regrese con Rubén.

—Si ella no quiere, yo no puedo convencerla de nada.

—Pero Amelita sí quiere mucho a Rubén. Y le conviene. Él va en serio, piensa en casarse. Ayúdela, padre.

—No sé cómo.

—Estoy segura que sí sabe —dice la Sanjuanera guiñándole un ojo mientras el padre Amaro camina hasta la mesa donde el padre Benito se hace el desentendido: como si nada hubiera escuchado, aunque resulta evidente que lo ha escuchado todo.

20

El humo de copal nubla y apesta la vivienda de Martín. Ramas y hierbas por todas partes.

Lanzando alaridos, Getsemaní ha logrado escapar de su catre y se arrastra hacia la escalera que conduce al tapanco.

Dionisia corre tras la criatura. La agarra de los pies y la regresa al camastro. La sube trabajosamente. Luego la amarra con una reata.

—Te vas a aliviar, te vas a aliviar.

No deja de gruñir y de babear Getsemaní mientras Dionisia extrae su alhajero. Toma una de las hostias y oprimiendo la nariz de Getsemaní logra que el pequeño monstruo abra la boca y se trague la hostia que le encaja.

Casi de inmediato, Martín entra en la vivienda para emprenderla a golpes contra Dionisia.

—¡Vieja cabrona! —le grita al tiempo que la saca a empellones de la vivienda. Luego se pone a patear las cazuelas de copal y las ramas. Regresa al camastro de Getsemaní. Desata a la criatura.

Entre los brazos de Martín se acuna el animalito. Él lo acaricia y lo acaricia hasta que la ternura de su padre termina tranquilizándolo.

21

Amparito sale del confesionario. Es una mujer muy pintada que viste como si fuera a una fiesta. Antes de cerrar la puertecilla, hace un guiño a Amelia, quien se levanta para tomar su turno.

—Divino —suspira Amparito.

En seguida se da la vuelta hacia la parte frontal del confesionario donde se ve sentado al padre Amaro con su estola al cuello.

Amparito mueve su pulgar y su meñique para pedir "un momentito" al sacerdote. Se aproxima:

—Ya conoce mis pecados. Es bueno que conozca mis virtudes.

De su gran bolso, Amparito extrae un corazón de metal dorado, grande.

—Para la Inmaculada. Me hizo un milagrote. —De inmediato saca también un sobre de papel manila abultado. —Esto se lo manda mi marido.

El padre Amaro no reprime su curiosidad y se asoma al sobre: está repleto de billetes.

—Es para el centro hospitalario —explica Amparito.

Sonríe, como despidiéndose, pero se detiene unos segundos más. —Yo soy Amparito. Mi esposo es el presidente municipal.

Cuando la mujer desaparece, el padre Amaro se inclina hacia la rejilla lateral.

—Ave María purísima. Di tus pecados.

—Me acuso de ser muy sensual, padre.

El padre Amaro reconoce de inmediato la voz de Amelia.

—Qué entiendes por sensual.

—Que soy muy intensa. Me gusta besar a mi novio, tocarme.

—¿Te tocas con tu novio?

—Me toco a mí misma, padre. En la regadera, cuando me baño, me gusta sentir el agua sobre mi cuerpo. Y me acaricio… ¿Es pecado?

—La sensualidad no es pecado. El cuerpo y el alma son una misma esencia.

—Me acaricio bajo el agua y cierro los ojos y pienso.

—¿En qué piensas?

—En Jesús.

—¿Qué Jesús?

—Jesús, nuestro señor, padre… ¿Es pecado?

El padre Amaro cierra los ojos. Responde:

—Sí, sí es pecado.

Hasta la casa cural llega una camioneta último modelo. Un grandulón sale de ella y se dirige al portón. Golpea varias veces la aldaba hasta que aparece el padre
Amaro.

—Vengo por el padre Benito.

El padre Amaro se desconcierta por el tono golpea-
do del grandulón, pero regresa de inmediato al interior
de la casa. La puerta de la recámara del padre Benito
está abierta. El padre Amaro se asoma:

—Lo buscan allá afuera, padre. Un tipo con cara de
matón.

El padre Benito termina de introducir en su maletín
negro algunos utensilios litúrgicos.

—Sí, sí, ya estoy listo.

—¿Adónde va?

—A un bautizo.

—Dónde.

—En la hacienda.

—¿Cuál hacienda?

—Preguntas más que el señor obispo —protesta el
padre Benito mientras sale de su recámara.

La camioneta último modelo deja atrás la población,
se interna por un camino de tierra y luego de veinte
minutos, o un poco más, llega hasta una doble reja que
abren dos vigilantes con sombreros de fieltro.

De la camioneta último modelo desciende el padre Benito con su maletín. Lo recibe el *Chato* Aguilar, un hombre maduro que viste chamarra de cuero y calza botas: tiene facha de norteño.

—Cada día más cachetón, Benito —exclama el *Chato* Aguilar y estrecha al padre Benito con un abrazo que podría triturarlo.

Avanzan hacia el patio central repleto de invitados en ambiente de fiesta. Un conjunto norteño canta corridos.

—¿Todo bien?

—Todo bien, don Chato —dice el padre Benito.

—Se arregló el cuete de los dólares, ¿no?

—Sí, don Chato, muchas gracias.

Llegan hasta la zona del portal, donde se distingue a un joven trabajador y a una mujer que carga un bebé envuelto con ropitas de encaje.

—Se va a hinchar con una barbacoa que no tiene madre, Benito —dice el Chato Aguilar antes de presentarlo con la pareja y sus invitados.

Un fotógrafo flaco registra en su cámara distintos momentos del festejo y la fiesta:

El padre Benito bautizando al hijo bebé del Chato Aguilar; los padrinos por delante. El padre Benito abrazando al Chato Aguilar. El padre Benito compartiendo la barbacoa con los miembros de la familia del Chato Aguilar. El padre Benito posando para la foto rodeado por los invitados del *Chato* Aguilar. El padre Benito con el Chato Aguilar y su bella esposa. El padre Benito en todo lugar, como Dios padre.

Cuando el fotógrafo flaco concluye su tarea, echa una carrerita para entrar en los sanitarios públicos de la hacienda, coloca su mochila en el suelo y se pone a orinar contra uno de los mingitorios. En otro mingitorio orina al mismo tiempo un hombre moreno y cacarizo.

—¿Buenas fotos, compa? —pregunta el cacarizo de mingitorio a mingitorio.

—Dios quiera.

—Me gustaría comprarte algunas, te las pago bien.

—No se puede.

—En muchas salgo yo —insiste el cacarizo.

—Yo trabajo para el señor Aguilar. Ni siquiera las revelo. Le entrego los rollos y ya.

—Qué lástima —dice el cacarizo al tiempo que se aparta de su mingitorio y le clava en el vientre un cuchillo de carnicero. Cuando el fotógrafo ahoga un grito, el cacarizo le propina un par de cuchilladas más.

El cacarizo levanta la mochila del fotógrafo y sale con ella de los sanitarios.

El *Hueso* de la redacción, en las oficinas de *El matutino*, cruza entre los escritorios donde teclean los reporteros con la prisa del cierre y llega hasta el lugar de Rubén. El muchacho tiene un par de audífonos conectados a su grabadora. Está transcribiendo una entrevista.

—Te habla Galarza —le dice *el Hueso*.

Rubén se levanta de su escritorio y camina hasta el privado del director.

Sobre la mesa de Galarza se distribuyen, impresas en ocho por diez, las fotografías que tomó el fotógrafo flaco durante el bautizo del hijo del Chato Aguilar. Rubén las observa asombrado.

—El Chato Aguilar —señala Galarza.

—¡El padre Benito! —exclama Rubén.

—Es de tu pueblo, ¿no?

—¿Cómo las consiguió?

—Me las trajeron a regalar. Alguien que quiere joderse al Chato Aguilar.

—¿Al Chato Aguilar o al padre Benito?

—Puedo publicarlas así, y ya, pero vale la pena investigar a fondo. Es un asunto gordo, ¿te interesa?

Rubén no aparta la vista de las fotos mientras duda.

—Es de mi pueblo, me conocen todos.

—Si no te atreves, se lo encargo a Ramírez —dice Galarza y se le queda viendo por encima de los lentes.

Aunque ahora vive en Ciudad Aldama, en un cuarto que le renta una tal doña Rosita, Rubén se dispara en su chevy hasta Los Reyes para ir a casa de su padre, temprano en la mañana.

Don Paco parece entusiasmado con el reportaje que le encomendaron a su hijo. De su archivero repleto saca dos fólders abultados:

—Pero no es solamente el centro hospitalario. Hay más.

Don Paco muestra a Rubén papeles y más papeles.

—Entonces toda la obra es con dinero del Chato Aguilar, para lavar su lana.

—Y aquí está el presupuesto. Mira nada más el precio del hormigón.

—¿Cómo conseguiste esos datos?

—Y hay más, te digo. Testimonios, informes, declaraciones de la gente de la sierra.

—¿Sobre el Chato Aguilar?

—Sobre el cura Natalio. Vive en las cañadas y anda metido con unos levantiscos que se dicen guerrilleros.

—¿Cómo conseguiste todo esto?, cuéntame.

—Me ha llevado tiempo. Hay gente que me ayuda.

Don Paco deja en paz los fólders y mira a su hijo.

—Yo debí ser reportero, Rubén.

Esa misma mañana, en su chevy, Rubén regresa a Ciudad Aldama con los fólders de su padre. Se pasa la tarde ordenándolos, estructurando el reportaje, y en la noche comienza a escribirlo en su computadora. Ahí se amanece, en la redacción de *El matutino*. A mediodía se lo entrega a Galarza.

Cuando Galarza termina de leer el reportaje de Rubén, se quita los lentes y dice al muchacho con una gran sonrisa:

—Esto va a aumentar la circulación de un trancazo.

25

El expendio de diarios y revistas, el único que existe en Los Reyes, está ubicado en un local contiguo a la fonda de la Sanjuanera. Lo atiende el Güero Matías, que está bajando de la camioneta del distribuidor, como todos los días, el bonche de periódicos.

Cuando el distribuidor se aleja en su camioneta para continuar su recorrido por otros pueblos, el Güero Matías desata los paquetes y se pone a ordenar los periódicos en su expendio. No ocupa más de veinte minutos. Separa del bonche un ejemplar de *El matutino* y con él se mete a la fonda de la Sanjuanera.

El plato de menudo ordenado por el Güero Matías llega hasta su mesa en manos de la Sanjuanera.

Antes de que ella se retire, el Güero Matías levanta el periódico y le muestra la primera plana.

—¿Ya vio, Sanjuanera?

En la primera página de *El matutino* se reproducen dos fotos enormes: el padre Benito abrazando al Chato Aguilar y el padre Benito, sonriente, rodeado por la familia del Chato Aguilar durante la comilona. La cabeza del reportaje anuncia:

LA IGLESIA, ALIADA AL NARCO Y A LA GUERRILLA

—¡Ave María purísima! —exclama la Sanjuanera.

26

En el cuarto de baño de su casa, frente al espejo del botiquín, el presidente municipal de Los Reyes se unta en el cabello una especie de engrudo ocre, apestoso, para pintarse las canas. Es un hombre grandote parecido a Pedro Armendáriz. A sus espaldas le gime Amparito:

—Yo siempre pensé que el dinero para el centro hospitalario se lo dabas tú.

—Lo que nosotros le dimos sólo alcanzaba para un dispensario. Ah, pero el pinche padre Benito, como siempre, quiso más y más.

—¿Y viste quién firma el artículo?/ Rubén.

—¿Qué Rubén?

—Rubén de la Rosa, el hijo de don Paco, el hereje.

—Pinche padre Benito.

—Tienes que hacer algo, gordo.

El presidente municipal no se aparta del espejo:

—Ni loco. Con los curas/ ni a misa, como dijo Benito Juárez.

27

Sobre la mesa de la sala-biblioteca se extienden tres ejemplares de *El matutino* con el reportaje de Rubén. En silencio, el padre Mauro, el padre Galván y el padre Amaro aguardan a que el padre Benito diga la última palabra. Como no la dice, habla el padre Galván:

—Ya se le hizo tarde a Natalio.

—No va a venir, júralo —dice el padre Mauro.

—Se lo dije, siempre se lo dije —estalla por fin el padre Benito—. No se meta con los alzados, le dije, ustedes me oyeron; pero él, necio. Y aquí están las consecuencias.

—Las acusaciones contra Natalio pueden refutarse —dice el padre Mauro—. El reportero da opiniones, pero no presenta pruebas.

Vuelve a gobernar el silencio. Ninguno de los tres sacerdotes se atreve a tocar el tema relacionado con el padre Benito. El padre Mauro termina por decidirse:

—¿Y lo del Chato Aguilar, padre?

El padre Benito pasea la mirada sobre sus colegas. Saca un pañuelo y se limpia el borde superior del labio:

—Yo siempre he pensado que al dinero para las buenas obras no hay que buscarle el diente.

—¿Aunque venga del Chato Aguilar? —vuelve a atreverse el padre Mauro.

—Venga de donde venga, es para hacer el bien.

Ahora es el padre Galván quien se anima:

—Es lavado de dinero narco, padre.

—El verdadero lavado es ante Dios. Dinero malo que se hace bueno, como en la redención. Eso decía la madre Teresa de Calcuta.

El timbre del teléfono interrumpe la comedida discusión. El padre Benito levanta la bocina rápidamente. Lo primero que dice es:

—Soy yo, señor obispo, a sus órdenes. —Luego una serie interminable de: —Sí, señor obispo. Sí, señor obispo. Sí, señor obispo. —Al final dos frases: —Como usted diga, señor obispo. Puedo ir mañana —una pausa para escuchar—. Ahora mismo le digo. —Y el remate: —Sin pecado concebida.

El padre Benito cuelga el teléfono y permanece en silencio con gesto contrito.

—¿Va a ir a verlo? —pregunta el padre Mauro.

El padre Benito mira hacia el padre Amaro.

—Si quiere, yo lo acompaño —dice el padre Amaro.

—Quiere que sólo vayas tú.

28

Cerca de la cocina de la fonda, Amelia pica las teclas del teléfono como si aplastara insectos.

—La extensión quince, por favor, es urgente.

La Sanjuanera la tranquiliza palmeándola dos veces en la espalda con suavidad. Cuando por fin oye la voz de Rubén al otro lado de la línea, Amelia suelta su letanía.

—Eres un desgraciado, Rubén. Estúpido. Baboso. Tonto. Marica. Apóstata. Maldito. Renegado. Infeliz. Cabrón. ¡Insecto bípedo!

Amelia cuelga de golpe atragantándose de llanto.

29

Rumbo a Ciudad Aldama, Martín conduce el destartalado camioncito de redilas que utiliza para los servicios de la iglesia del padre Benito. El padre Amaro lo acompaña en la cabina.

—Todo es mentira, ¿verdad, padre?

—¿Qué cosa?

—Lo que dicen en el periódico del padre Benito.

—Calumnias, Martín.

—Para mí que el diablo se vino a meter en este pueblo desde hace muchos años, padre. Aquí hizo su guarida.

Ya no hablan mucho durante el largo trayecto por la estrecha carretera a Ciudad Aldama. Si acaso comentan algo sobre Getsemaní, sobre las siembras estériles de los campesinos, sobre la angustiosa situación económica de los habitantes de la región, sobre la demagogia de los políticos.

Llegan a la capital del estado dos horas después porque el motor del camión se sobrecalentó y se vieron obligados a detenerse en la cuneta hasta que pasó un carguero. Cuando el padre Amaro desciende frente a la catedral de Ciudad Aldama empieza a oscurecer.

—Espéreme aquí. No creo que me tarde.

En el reclinatorio de una banca el padre Amaro aguarda a que el obispo lo llame. La catedral está semivacía, pero se encuentra expuesto el Santísimo y a él parecen dirigirse las oraciones del padre Amaro, que mantiene los ojos en el altar y las manos sobre el rostro, deteniéndose la quijada.

Quince minutos después, una religiosa con el hábito de las teresianas conduce al padre Amaro hasta la salita verde de la casa episcopal. El obispo viste de traje, sólo lleva un alzacuellos.

—Qué alegría verte, hijo —exclama el obispo con los brazos abiertos—. Adelante, adelante.

El padre Amaro no se atreve al abrazo. Prefiere flexionar la rodilla para besar el anillo episcopal.

Antes de que la religiosa se retire, el obispo le ordena:

—Comuníqueme con el presidente municipal de Los Reyes, chaparrita.

La religiosa asiente con una inclinación de cabeza, mientras el obispo toma asiento en su viejo sillón reposet. Junto al sillón se repega una mesita con un par de teléfonos y un vaso grande de jugo de naranja que el obispo bebe de vez en cuando a sorbitos. El padre Amaro toma asiento en una silla de madera muy incómoda.

—¿Ves por qué te mandé a Los Reyes? Este Benito es una calamidad. Viejo imprudente, mira en qué escándalo nos metió. Todo por su necedad de hacer un hospital de primer mundo.

—¿Usted sabía del Chato Aguilar, monseñor?

—Hasta los santos cometen errores, hijo. Lo importante es reconocerlos.

El obispo descubre el gesto contrito del padre Amaro. Para desbaratarlo suelta una breve risotada:

—Pero no pongas esa cara de chupamirto, pues, para Dios todo tiene arreglo. —Se inclina hacia delante en su sillón: —Ya hablé con el director del periodicucho ese y vamos a publicar un desmentido brutal. Tú lo vas a escribir.

30

El presidente municipal trae dos pares, de cuinas y de doses, pero duda en aceptar la apuesta del Doc porque casi está seguro de que el Doc tiene por lo menos una tercia. Los otros tres miembros de su cabildo —que juegan pocarito todos los jueves por la tarde, en casa del presidente municipal— no traen nada de seguro. El Pelón ya se retiró y Sandoval está a punto de decir "no voy".

Entre que duda en aceptar la apuesta o incluso hasta en subirla para medir el agua a los camotes del Doc, el presidente municipal se alisa su cabello recién pintado.

Ha sonado un teléfono en el vestíbulo. Irrumpe Amparito.

—¡Gordo, gordo!, te llama el señor obispo.

El presidente municipal retarda su decisión. Pone sus cinco cartas bocabajo y se levanta para acudir al teléfono mientras los jugadores tuercen la boca con gestos de fastidio.

—¡No se puede jugar contigo, carajo! —exclama el Doc.

El presidente municipal ya está al teléfono, regateando con el obispo:

—No me diga eso. Yo no puedo decir que le di toda esa lana. Son millones y millones, señor obispo, me linchan.

Amparito se aproxima para enterarse de la conversación.

—Ah, muy bien, muy bien. Si usted se responsabiliza por la mitad, yo respondo por la otra. Pero bajándole un poco a las cifras, no hay que ser. Órale.

Y remata, después de escuchar la taralata del obispo:

—Perfecto, mañana mismo mando un fax al periódico.

Cuando el presidente municipal cuelga la bocina, Amparito le pregunta:

—¿Se va a arreglar, gordo?

Por única respuesta el presidente municipal oprime el cachete de su esposa y lo sacude cariñosamente. Luego regresa al pocarito.

—Pinches curas. Yo siempre lo he dicho, siempre: no hay peor política que la negra.

Impaciente, el Doc lo insta a que tome una decisión:

—Déjate de mamadas y ya. Qué. Vas o no vas.

—Pago por ver —responde el presidente municipal. Tenía razón. El Doc trae una tercia de jotos.

31

Ya se hizo de noche. El obispo acompaña al padre Amaro hasta la reja de la casa episcopal mientras le habla sobre el padre Natalio.

—Lo voy a sacar de esa pinche comunidad.

—Él jura y perjura que no hay guerrilleros por su rumbo, monseñor.

—Lo voy a encerrar con las carmelitas para que les diga sus misas y las confiese.

—Si usted me permite una opinión, señor obispo/

El obispo no deja hablar al padre Amaro:

—Tranquilo, hijo. Yo sé la monserga que es para ti todo esto, pero primero hay que hacer la talacha. Ya luego te vendrás aquí conmigo para que aprendas cómo se maneja la diócesis.

Un mozo de la casa episcopal abre la reja mientras el padre Amaro vuelve a besar el anillo. El obispo lo despide con una última sonrisa.

32

Galarza lee desde su escritorio un par de hojas carta que le ha entregado el padre Amaro sentado frente a él. El sacerdote muestra un gesto endurecido que no le reconocerían sus compañeros del seminario.

Galarza mueve la cabeza de un lado a otro cuando concluye:

—¿No le parece excesivo?

—Es justo y necesario.

—Sepa usted que lo hago contra toda mi voluntad.

—El desmentido debe salir en la primera plana con letras grandes —replica el padre Amaro como si no hubiera escuchado a Galarza—. Junto al comunicado del presidente municipal.

Al abrirse la puerta del despacho del director asoma Rubén. Cuando descubre la presencia del padre Amaro, se arrepiente. Va a retirarse, pero la voz de Galarza lo frena.

—No, no, Rubén, pasa.

Rubén entra en el despacho. Su mirada se cruza con la del padre Amaro.

—¿Ya conocías al padre Amaro?

Rubén asiente. El padre Amaro le tiende la mano, pero Rubén la rechaza. Galarza entrega al reportero las dos hojas que rápidamente éste empieza a leer. Estalla:

—Esto no es cierto. Yo di datos precisos. ¡Es una chingadera, señor!

El padre Amaro se pone de pie y oprime con la suya la mano de Galarza, despidiéndose.

—Me dio mucho gusto conocerlo, señor Galarza. Con su permiso.

Cuando el padre Amaro sale del despacho, Rubén le mienta la madre con un ademán que el sacerdote no alcanza a distinguir. El reportero se vuelve hacia el director:

—Una reverenda cabronada, señor.

—Me amenazó con la publicidad. Tú sabes: al obispo le es muy fácil presionar a los empresarios para que no se anuncien en el periódico. Y contra eso yo no puedo.

Rubén mueve la cabeza y gira para salir del despacho. Está furioso.

—Hay algo peor, Rubén. Me pidieron tu cabeza.

—Pero qué poca madre, chingados.

—Voy a tratar de conseguirte trabajo en otra parte —dice Galarza.

33

El camioncito de redilas que conduce Martín va subiendo por una brecha entre hoyancos y piedras de todos tamaños. Protesta, se atora, ruge a cada tumbo. El padre Amaro muestra su preocupación.

—Era por aquí, pero ya no me acuerdo —se queja Martín.

—Dale hasta esa curva.

Al llegar trabajosamente a la curva, se divisa a pocos metros media docena de campesinos tratando de prolongar el trazo de la brecha.

—Ahí están —dice Martín.

El padre Amaro desciende del camioncito de redilas. Avanza hacia el grupo compacto, cerca de donde se vislumbran casuchas y jacales. Los campesinos se esfuerzan por mover un piedrón enorme que impide la prolongación del camino. Un hombre moreno y cacarizo acaba de ensartar un trozo de viga, debajo del piedrón, para moverlo palanqueando. Lo ayudan los demás.

Llega hasta ellos el padre Amaro. Uno de los campesinos es nada menos que el padre Natalio, sudoroso y activo. A la una, a las dos, a las tres: empuja con los otros la pesada mole mientras el cacarizo palanquea. No consiguen rodarla. Es hasta el momento en que el padre Amaro se incorpora a la tarea cuando el padre Natalio descubre su presencia. Le sonríe.

Otro esfuerzo y ahora sí el piedrón cede. Arrancado de su raíz se mueve hacia un extremo donde ya será más fácil quitarlo para que el trazo del camino resulte más ex-pedito.

—Gracias. Buena fibra —dice el padre Natalio al padre Amaro secándose el sudor de la cara—. ¿Qué haciendo por aquí?

—¿Leíste lo que apareció en el periódico?

—Aquí no llegan los periódicos —sonríe ladino el padre Natalio.

Ya están ahora dentro de un galerón techado por una palapa. Se antoja un auditorio campesino que también hace las veces de templo porque a la distancia se observa una especie de altar. Detrás de él cuelga una Guadalupana de calendario y dos palos amarrados en cruz. En el sitio se distribuyen implementos de labranza.

Mientras ambos beben agua de jamaica en jarritos, el padre Natalio echa un vistazo a los recortes de *El matutino* que le ha llevado el padre Amaro.

—Lo que te dije es cierto —dice el padre Natalio—. Aquí no hay guerrilleros. Lo único que hacemos es defendernos de los narcos.

—No hablo por mí, hablo por el señor obispo. —Y el padre Amaro extrae un papel doblado en varias partes con un logotipo del escudo episcopal.

—¿Qué es esto?

Con un movimiento de cabeza el padre Amaro lo insta a leer. A cada párrafo la sonrisita ladina del padre Natalio comenta el escrito del obispo.

—¿Tú me imaginas en un convento de monjas?… No me gusta el rompope, para empezar.

—Es una orden del obispo, Natalio.

—Me vale madres.

—Te obliga la obediencia.

—Mi única obediencia es a Dios y a mi gente. Quédate unos días aquí, Amaro, órale, para que veas lo que es seguir el evangelio al pie de la letra.

—Te pueden suspender *ad divinis ipso facto.*

—Me quedo con mi gente.

—Piénsalo, Natalio.

—Dile al señor obispo que digo no. Y que haga como se le hinchen.

34

Al pie de la única torre, Martín jala de arriba abajo la cuerda del badajo para hacer sonar la campana. Tercera llamada a misa.

Sólo los domingos el templo de la Inmaculada se llena a toda su capacidad.

Antes de las lecturas, violentando el ritual, Amparito recorre las bancas para recoger en una cesta las limosnas de los fieles. Cuando llega a la banca donde se encuentra Dionisia, la beata deposita una pequeña moneda, pero al introducir la mano dentro del cesto agarra disimuladamente con un hábil movimiento de sus dedos torcidos un billete que luego esconde bajo el dobladillo de su blusa.

Amelia y la Sanjuanera escuchan desde una banca delantera la homilía del padre Amaro dictada desde el centro del presbiterio, con el micrófono sostenido en la derecha:

—La epístola de san Pablo y el evangelio de hoy, queridos hermanos, nos enfrentan providencialmente a un hecho terrible que está viviendo nuestra diócesis. Sobre ella ha caído, como una tromba, la calumnia y la difamación. La mente enferma de un hermano nuestro, de un vecino de esta comunidad, ha tratado de enlodar las acciones caritativas y nobles emprendidas por nuestro párroco, el padre Benito.

Las miradas de los fieles se entrecruzan. No es frecuente que un sacerdote de la Inmaculada —nunca lo hace el padre Benito— se refiera en sus homilías a sucesos locales aludidos en forma tan directa. Sorprende a los fieles tal actitud, pero sobre todo los complace y edifica. Qué padre tan valiente, piensan. Qué admirable y qué ejemplar su aplicación del evangelio a nuestra realidad cotidiana. Eso es dar un sermón, para que vean.

La Sanjuanera codea el brazo de su hija, pero Amelia permanece con los ojos puestos en el oficiante.

El padre Amaro concluye:

—Pero al fin ha brillado la verdad y la justicia y hoy podemos sentirnos agradecidos con Dios porque la infamia no logró perturbar nuestras conciencias. Frente a la calumnia brilla la verdad. Frente al odio brilla el amor. Frente a la blasfemia brilla el perdón.

Del fondo del templo resuena el grito loco de Dionisia:

—¡Mueran los herejes!

35

Una violenta pedrada, lanzada desde la calle, triza un vidrio de la casa de don Paco.

Ensimismados en su partida de ajedrez, don Paco y el Doc se sacuden al escuchar el estruendo de la ventana. Llega hasta la sala el alboroto de la calle en contraste con la apacible calma del mediodía dominical.

—¡Mueran los herejes! ¡Mueran los herejes! —grita un pequeño grupo de feligreses encabezado por Dionisia. Algunos lanzan piedras; una de ellas es la que ha estrellado el vidrio de la ventana.

Don Paco y el Doc salen corriendo por la puerta para cerciorarse de la agresión. Nada alcanza a decir don Paco: una pedrada brutal lo hiere en la cabeza en el momento de asomarse. Se tambalea y cae sangrando junto al Doc.

36

—¿Y el padre Benito? —pregunta la Sanjuanera cuando ve entrar en la fonda al padre Amaro, como a las ocho de la noche.

—No va a venir. Se acostó temprano, se sentía un poco mal.

—¡Ave María purísima! —exclama la Sanjuanera. Rápidamente se quita el delantal, lo entrega a Amelia, sale de la fonda. Desde la puerta dice a su hija:

—A'i te encargo.

—No es nada grave, señora —alcanza a decir el padre Amaro poco antes de que la Sanjuanera se pierda por la banqueta.

Amelia se aproxima hasta la mesa donde toma asiento el padre Amaro.

—Tenía muchas ganas de verlo, padre. ¿Cómo está?

—Muy dolido por todo esto. Y preocupado por don Paco, la gente se excedió.

—Merecido se lo tiene. Él fue el de todo.

—No digas eso. Gracias a Dios parece que no fue nada grave.

Amelia toma asiento junto al padre Amaro y lo mira largamente a los ojos. El padre Amaro baja la vista.

—¿Sabes algo de Rubén?

—Rubén ya no me importa. El que me importa es usted.

Transcurre un rato en silencio. Una mano de Amelia trata de alcanzar, con la punta de los dedos, la mano del sacerdote. Amelia desliza suavemente la suya, pero el padre Amaro retira la mano cuando siente los dedos de la chica tocándolo.

De un rincón de la fonda irrumpe el grito de Matías, el expendedor:

—¡Mis garnachas, Amelia, qué pasa!

37

Con el estetoscopio termina el Doc de examinar el pecho del padre Benito, recostado en la cama y con el gesto vencido.

—¿Es algo serio? —pregunta la Sanjuanera.

—Nada del corazón. Una depresión severa, pero va a salir.

El Doc garabatea en su recetario y tiende la mediahoja

a la Sanjuanera. Recibe de ella un par de billetes; luego dice al padre Benito antes de salir:

—A descansar un par de días. Y mucho ánimo.

Cuando la Sanjuanera regresa de acompañar al Doc a la puerta de la casa cural, se sienta sobre la cama, reacomoda las almohadas sobre las que descansa la cabeza del padre Benito y lo acaricia en la frente.

—Esto es lo que debo pagar por mi pecado —dice el párroco.

—Cuál pecado —replica la Sanjuanera.

—El nuestro.

—No, no. Cuando se largó Cipriano y me dejó enferma de Amelia, acuérdese, usted fue el único que me tendió una mano. Fue mi amigo, mi padre, mi Dios.

—Te traje a revolcarte en mi cama —insiste el padre Benito.

—No. Me devolvió la vida.

—Te convertí en la puta del cura.

—La gente no entiende, padre. No sabe.

—Y por ese amor me voy a ir al infierno.

—Cuando yo le dije eso un día, acuérdese, usted me contestó: el único infierno es la soledad.

—¿Eso te dije?

—Eso me dijo.

—Ojalá Dios lo entienda, Sanjuanera —dice el padre Benito y cierra los ojos. El sueño está empezando a vencerlo.

Sentado en un sillón, don Paco exhibe una venda que le envuelve la parte superior de la cabeza; parece un gorro blanco.

—Si no es por el Doc ni me entero —lo regaña Rubén—. Como si no hubiera teléfonos, papá.

—Con este ambiente de fanáticos prefería que no vinieras. Peor que en el franquismo, coño.

—Vine por ti para llevarte a la ciudad.

—Estás loco.

—Allá te pueden curar mejor.

—Pero si fue una simple descalabrada. Ya estoy bien. Don Paco se levanta del sillón como para mostrar a su hijo lo que afirma. Camina hasta el archivero.

—¿Ya conseguiste trabajo?

Rubén niega con la cabeza.

—Que sea en un periódico. —Abre el archivero y busca un fólder:—Tengo nuevos datos. El curita Natalio, el guerrillero, se rebeló contra el obispo y lo quieren excomulgar/

Rubén interrumpe a su padre:

—No me friegues, viejo.

—¡Viva México! ¡Viva México! ¡Viva México! —grita el presidente municipal desde el balcón del edificio de gobierno. Lo hace mientras ondea la bandera, a un lado de Amparito, del jefe de la zona militar y del Pelón, miembro del cabildo.

La gente que repleta la plaza corea el grito mientras estallan los cohetes y adornan la noche cerrada los fuegos artificiales.

Es quince de septiembre y la fiesta, como todos los años, anima a la población. Hay juegos de feria para los chamacos. Hay mariachis cantando rancheras. Hay puestos de fritangas. Hay carretas de toritos encendidos para asustar a las muchachas.

Con la puñalada de tres cervezas dentro, Rubén corre para alcanzar a Amelia cuando la descubre, cerca de donde está el ingeniero residente del dispensario. Amelia descubre también al muchacho porque éste grita su nombre, y cambia rápido de rumbo. Rubén la alcanza. La prende del brazo.

—Quiero hablar contigo.

—Yo no quiero saber nada de ti —replica Amelia soltando la garra de Rubén—. Lárgate.

—Me corrieron del periódico, Amelia.

—¡Y a mí qué me importa! ¡Me alegro!

Rubén no consigue articular más palabras. Se traba.

—Te odio, Rubén, ¿que no entiendes? ¡Te aborrezco!

Rubén vuelve a prender el brazo de Amelia en el momento en que se aproxima el ingeniero residente.

—¿Pasa algo? —pregunta.

Rubén lo encara. No se mueve, pero suelta al fin el brazo de Amelia. Mira por última vez el gesto decidido del ingeniero y se da la vuelta. Desaparece.

Reaparece minutos más tarde en una callejuela solitaria bebiendo a pico de botella el último trago de una cerveza.

En sentido contrario avanzan el padre Benito y el padre Amaro. Convaleciente de su crisis depresiva, el párroco ha insistido en darse una vuelta por la plaza para mirar los fuegos artificiales que no le gusta perderse año tras año, dice. Y por eso caminan en dirección al festejo.

Rubén no tarda en descubrir a los sacerdotes. Con la botella en alto corre directo hacia ellos. Se asustan por lo sorpresivo de la aparición. Más el padre Amaro cuando oye el grito de Rubén:

—¡Defiéndase cabrón! —y le suelta un botellazo a la cabeza. Falla el golpe porque el padre Amaro levanta instintivamente el brazo, aunque la botella alcanza a he-rirlo en la frente. Rubén la emprende entonces a puñetazos y patadas contra el padre Amaro.

No falta un par de transeúntes que, advertidos de la gresca, corren para detener al muchacho.

Al rato ya está Rubén sentado en una silla de lámina frente al agente del ministerio público. Un poco aparte, permanece inmóvil el padre Benito.

—Te fregaste, Rubencito —le dice burlón el agente del ministerio público apoyando los brazos en una vieja olivetti—/ Te vamos a enchiquerar tres semanas, si no es que más.

Del fondo de la oficina regresa el padre Amaro. Ha ido a lavarse y la empleada chaparrita del ministerio le ha puesto una curita en la frente para taparle el rasguño. Lo que sí parece más serio es un moretón en el pómulo: se le está hinchado.

—Listos para tomar su declaración, padre —dice el agente del ministerio público mientras desentume los dedos ante las teclas de la olivetti como un pianista al inicio de un concierto.

—No voy a levantar ningún cargo —sentencia con gravedad el padre Amaro.

El agente del ministerio público pela los ojos.

—Te perdono, Rubén.

Luego se da la vuelta, toma del brazo al padre Benito y dice:

—Vámonos, padre.

Cuando el padre Benito y el padre Amaro salen de la oficina del ministerio, Rubén se levanta como un resorte para gritar desde la puerta:

—¡Vas y chingas a tu madre, cabrón!

40

Una línea de luz que se filtra por el portón semicerrado alivia la oscuridad del templo vacío. Amelia está arrodillada en el reclinatorio de la primera banca, los ojos puestos en la imagen de la Inmaculada.

Del confesionario sale el padre Amaro en sotana, con la estola colgada al cuello y el breviario en las manos. Aún se advierte el moretón en el pómulo derecho.

El sacerdote camina hacia la muchacha. Llega a la banca. Amelia vuelve los ojos. Se limpia las lágrimas.

—¿Estás llorando? —pregunta el padre Amaro.

Amelia niega con la cabeza.

—¿Por Rubén?

—Por usted, padre. Por todo lo que ha sufrido sin quejarse, como Jesús.

El padre toma asiento junto a Amelia. Ella se sienta también. Los dedos del padre Amaro suben hasta el cabello de Amelia y empiezan a acariciarla suavemente. La caricia se prolonga y resbala sobre el rostro como si le modelara las facciones. Amelia gira la cabeza. Sus labios encuentran los del padre Amaro. Se besan. Se siguen besando. Se abrazan. Vuelven a besarse.

41

Junto a la vivienda de Martín, en el cobertizo de lo que fue alguna vez un taller mecánico, el sacristán empina el cuerpo dentro del cofre delantero del camioncito de redilas. Ya le cambió el distribuidor y ahora se esfuerza para ajustar una banda nueva en las poleas del ventilador que ha estado fallando.

Martín se desconcierta cuando advierte la presencia del padre Amaro. Lo ha estado mirando trabajar y silbar sin que el sacristán se aperciba.

—¿Pensaba salir? —pregunta el sacristán mientras se limpia las manos con una estopa—. Ya nomás cambio las bujías.

—No, no. Andaba por aquí. Fui a visitar a una enfermita allá atrás.

—Sería bueno que el padre Benito comprara una pickup, ¿no le parece? Esta carcacha ya no dura mucho. El Pecas está vendiendo una seminueva.

—¿Cómo sigue Getsemaní?

Martín tarda en responder. Se sigue frotando con la estopa las manos de aceite.

—Bien. Igual, como siempre. ¿Quiere verla?

El padre Amaro asiente y entran en la vivienda.

Getsemaní parece dormir. El sacerdote se aproxima para observar de cerca a la criatura, pero luego reparte su mirada por la estrecha vivienda. Señala la escalera.

—Y el tapanco, ¿lo usas?

Antes de que Martín responda el padre Amaro sube despacio las escaleras como si no quisiera hacer ruido que despertara a Getsemaní. El sacristán sube detrás.

En el tapanco se estira una cama estrecha con cabecera de fierro. Hay un par de sillas y una ventana orientada a los cerros lejanos.

—Aquí se quedaba mi hijo Lencho cuando venía a Los Reyes.

—Te quiero pedir un favor, Martín. Tú conoces a Amelia...

—La hija de la Sanjuanera.

—Una chica muy piadosa. —Y baja la voz para confiar un secreto: —Se quiere meter de monja.

Martín no puede disimular su gesto de asombro.

—Ella no quiere decírselo a nadie antes de estar segura. Y yo me comprometí a prepararla en secreto, pero no tengo dónde.

—Podría ser aquí —dice Martín como forzado.

—Vendríamos un par de veces a la semana; sin que nadie lo sepa, eso sí. Hasta que ella descubra si tiene vocación o no.

El padre Amaro empieza a descender las escaleras. Detrás lo sigue Martín. Getsemaní se ha despertado y gruñe.

42

—Qué contenta te ves —dice la Sanjuanera cuando ve llegar a Amelia a la cocina de la fonda, alegre, desenvuelta.

Amelia sonríe a su madre y se vuelve hacia la cocinera:

—Dos órdenes de enchiladas rojas y una ensalada de berros para el padre Benito.

La Sanjuanera se aproxima a su hija para decirle quedito:

—Desde que mandaste a freír espárragos al maldito de Rubén eres otra, hija. Ya era tiempo.

En la mesa de siempre el padre Benito y el padre Amaro beben vasos de horchata con un invitado: el padre Galván. Éste se limpia el bigote que le deja la horchata:

—Entonces es definitiva la suspensión.

—¿Qué suspensión?

—De las obras del centro hospitalario —aclara el padre Galván al padre Benito que se antoja distraído.

—Hasta que diga el señor obispo. Por lo pronto vamos a acondicionar el área del dispensario para ver si lo echamos a andar.

—Y el padre Natalio, qué. ¿Sigue en rebeldía?

—Parece que sí.

—No lo han suspendido.

—Todavía no. —El padre Benito se vuelve hacia el padre Amaro: —Tú ibas a hablar con el señor obispo, ¿no?

—La semana próxima.

Haciendo equilibrio con tres platos en brazos y mano, Amelia llega a la mesa y los distribuye: las enchiladas rojas para el padre Galván y el padre Amaro; la ensalada de berros para el padre Benito.

—Uy, qué rico se ve —se le encienden los ojos al padre Galván.

La Sanjuanera se aproxima.

—Es un especial de la casa —dice. Después señala a Amelia: —Es mi hija.

—Gracias, chula —sonríe el padre Galván.

La Sanjuanera y Amelia se retiran de la mesa.

—Qué linda muchacha —comenta el padre Galván mientras acomete las enchiladas rojas con la boca haciéndosele agua.

—Y muy piadosa, muy de la iglesia —comenta el padre Amaro.

Amelia regresa pronto con una cesta de pan, servilletas de papel, un plato con queso rallado y otro con chile piquín. Los distribuye frente a los sacerdotes mientras el padre Amaro habla con la evidente intención de que Amelia escuche.

—No le he contado, padre Benito. Aquí Amelia le va a dar catecismo a Getsemaní/ ¿Verdad, Amelia?

Amelia se sorprende. Sonríe para disimular.

—¡Qué idiotez! —exclama el padre Benito.

—¿Quién se llama Getsemaní? —pregunta el padre Galván con la boca repleta de enchiladas.

—Una criatura tarada que no sabe hablar y no entiende ni jota de nada. Se la pasa retorciéndose.

El padre Benito remeda con el gesto las contorsiones de Getsemaní.

—Más meritorio por eso —dice el padre Amaro.

—Pierdes tu tiempo, niña. No vas a aguantar una semana, de mí te acuerdas.

—También los débiles mentales necesitan de Dios —dice el padre Amaro—. ¿O no, padre Galván?

—Sí, claro, todos necesitamos de Dios.

El padre Amaro se levanta. Toma la jarra vacía y con ella se encamina a la parte trasera de la fonda.

—Voy por más horchata.

Mientras Amelia llena la jarra, el padre Amaro murmura:

—Encontré un lugar.

43

Desorientada y nerviosa, con un morral cargado de libros, Amelia localiza por fin la vivienda del sacristán. Descubre el camioncito de redilas estacionado en el cobertizo. Piensa: vaya, aquí es.

Durante los primeros minutos se esfuerza por dominar la repugnancia y el miedo que le produce el pequeño monstruo, pero una vez que Getsemaní parece interesarse por los dibujos a colores de un libro que le muestra Amelia, la tarea se vuelve menos ardua.

La muchacha le va contando lo que ilustran las estampas. De cómo Dios entregó las tablas de la ley a Moisés en las que estaban escritos los mandamientos.

—Fíjate bien en los dibujos para que luego te cuente lo que pasó.

Amelia pone el libro abierto en el regazo de Getsemaní, y en tanto Getsemaní parece encantarse con los dibujos, la muchacha sube precipitadamente la escalera hacia el tapanco.

En el cuartucho de Lencho, con un suéter gris que nunca le había visto, Amelia se encuentra con el padre Amaro. Está de pie junto a la ventana esperándola sonriente.

Se miran y se miran. Tardan en besarse con suavidad. Lo hacen sin prisas, hasta que el padre Amaro empieza a desabotonarle el vestido por delante. Ella le facilita la tarea destrabando el sostén del que brotan sus pechos tiernos y redondos.

—Tus dos pechos son dos crías mellizas de gacela que pacen entre los lirios —recita el padre Amaro sin dejar de mirar el cuerpo maravilloso de la muchacha.

Ella hace un gesto de extrañeza por las palabras del padre Amaro. Vuelve a sonreír, pero seguramente por su nerviosismo.

—Es el Cantar de los cantares. De la biblia.

El sacerdote se desprende del pantalón, de la camisa, de los calcetines y zapatos, pero no se quita la trusa. Antes se inclina para quitar a Amelia el calzoncito rosado. La muchacha mueve a intervalos sus dos pies para dejar su prenda en el suelo, mientras el padre Amaro va recorriendo, con las dos manos abiertas, muy despacio, las piernas, las caderas, las nalgas de Amelia. "Son como dos collares las curvas de tus caderas", se dice a sí mismo con las palabras del salmista.

La muchacha continúa de pie, vibrando, "como el trigo rodeado de lirios", al tiempo que el padre Amaro acaricia sus pechos, los chupa. Luego la abraza. Luego la conduce besándola hasta el camastro de Lencho y allí se tienden y se lamen y se frotan como para conocerse y descubrirse.

Moviéndose ligeramente hacia un lado, el padre Amaro se deshace por fin de su trusa, y cuando su cuerpo vuelve a juntarse con el de Amelia, ella siente el sexo erguido del sacerdote. Un sexo que la busca para penetrarla. Trata de hacerlo suavemente, sin violencia, alternando su intento con besos en el cuello y en el arranque de los pechos. Al fin lo consigue y ambos se dejan llevar meciéndose y hundiéndose en "el pozo de aguas vivas y corrientes que del Líbano fluyen".

Dos veces hacen el amor ese mediodía de septiembre. Mejor la repetición. Delicioso el encuentro y el reencuentro. Fresco el sudor de la piel. Gime Amelia durante la segunda penetración con un orgasmo que parece una descarga eléctrica, pero empalagoso como el azúcar y agudo como el ligero picor de un dulce de tamarindo, pensará después.

Abajo, en su catre, gime Getsemaní con los gemidos de los amantes y el rechinar de la cama.

44

—No quiero más escándalos, pues —dice el obispo desde el sillón reposet—. Imagínate si los periódicos me arman otro numerito.

—Téngale paciencia, señor obispo. El padre Natalio obra de buena fe.

—Le he dado tiempo de sobra para que recapacite.

Se aventura el padre Amaro:

—Si usted me permite una opinión, monseñor/

—Claro, para eso te llamo. Para que me aconsejes, pues.

—Si usted lo manda a otra comunidad campesina, tal vez en otra diócesis, él aceptaría, se lo aseguro.

—Es demasiado un convento de monjas, ¿verdad? —sonríe el obispo. Y bebe un sorbito más de su jugo de naranja.

—Por eso se rebela así.

El obispo hace girar el vaso con sus dos palmas. Lo deja en la mesita. Se pone de pie para dar por concluida la conversación.

—Pídele a Dios que me ilumine.

45

Empieza la tarde. En el camioncito de redilas que ahora parece funcionar mejor, el padre Amaro regresa a Los Reyes después de su entrevista con el obispo. Martín rompe el silencio mientras conduce.

—¿Le contó de la niña Amelia al señor obispo?

—¿Qué cosa?

—De que la está preparando para monja.

—Ah, sí, claro. De eso estuvimos hablando un buen rato, confidencialmente. —Se vuelve para mirar a Martín: —Al señor obispo le gustarían las madres clarisas.

—¿Y cómo va?

—Quién.

—La niña Amelia, con la estudiadera.

—Parece que sí tiene vocación.

Sin quitar la vista del camino, Martín hace una mueca como de burla que el padre Amaro no registra.

46

En la sacristía, frente un cuadro de la virgen de Fátima cuyo vidrio le sirve de espejo, el padre Amaro se repeina el cabello. Utiliza luego un aspersor para purificarse el aliento.

Del interior del templo llegan hasta él las voces de los niños de la doctrina que sonsonetean a coro guiados por Amelia y Chepina.

—Los mandamientos de la ley de Dios son diez. Los tres primeros se refieren al amor de Dios y los otro siete al amor al prójimo. El primero: amarás a Dios sobre todas las cosas. El segundo: no jurarás el nombre de Dios en vano. El tercero: santificarás las fiestas. El cuarto: no matarás. El quinto/

Por un pasillo lateral el padre Amaro cruza el templo rapidito sin detenerse a mirar a Amelia y sin sonreír por lo gracioso del coro.

En el atrio lo alcanza Amparito que va rumbo al templo.

—¿Ya se va, padre?

—Tengo un enfermo.

—Ay, qué mala suerte. Yo venía a confesarme —se lamenta Amparito al tiempo que le entrega un paquete—. Y a traerle un regalito.

El padre Amaro mira y sopesa el paquete sin entender de qué se trata.

—Lo mandé hacer especialmente para la imagen de la Inmaculada.

Con un solo gesto el padre Amaro agradece el regalo y se despide de Amparito.

La esposa del presidente municipal alza la voz cuando el padre Amaro ya se ha dado la vuelta para alejarse lo más pronto posible.

—A ver cuándo va a la casa a visitarme, padre.

47

Embelesado, contempla el cuerpo desnudo de Amelia que permanece de pie como entregándose. Están otra vez en el tapanco de la vivienda de Martín, donde se reúnen por las tardes dos veces a la semana.

El paquete ya abierto que le regaló Amparito se encuentra sobre el camastro. Por él va el padre Amaro. Termina de desenvolverlo. Es un manto para la imagen de bulto de la Inmaculada, como sugirió Amparito. Extendiéndolo con ambas manos, el sacerdote camina hacia Amelia para cubrirla con la seda azul bordada de estrellas.

—No, por favor, no.

—Déjame vértelo.

Ella termina aceptando y el sacerdote la envuelve con el manto que le baja hasta los pies. Amelia sonríe incómoda.

—Eres más hermosa que la Virgen —dice el padre Amaro. Avanza y la besa como si besara al mismo tiempo a la muchacha y a la Inmaculada.

Cuando el beso se prolonga por el jugueteo de lenguas, el manto resbala hasta el suelo.

Abajo en su camastro, Getsemaní arranca con frenesí las hojas de los catecismos con estampas. Se contorsiona. Han empezado a escucharse los gemidos del tapanco.

48

Un lunes al mediodía Amelia organiza un día de campo a las afueras de Los Reyes, en el bosquecillo de eucaliptos al que suelen acudir —pero solamente los sábados y los domingos— las familias del rumbo.

En una cesta de palma recién comprada en el mercado lleva pan en rodajas, una tortilla a la española y un surtido de quesos: fresco, manchego, de bola. También jamón serrano, una botella de tinto y una bolsita con dulces de tamarindo. Las servilletas y el mantel que la muchacha extiende sobre la hierba amarillosa son nuevos, de florecitas azules, y las copas y los cubiertos existen desde su abuela; su madre sólo los usa en ocasiones especiales.

Cuando terminan de comer y de beber media botella del tinto español, el padre Amaro —recostados los dos frente al mantel que se manchó un poquito—trata de besar los labios de Amelia.

—Aquí no. Me da miedo.

El padre Amaro se levanta y toma la copa de vino.

—Me gustaría amarte sin escondernos —dice suavemente Amelia—. A la luz del día, frente a todos.

—Nosotros no podemos. Nuestro amor es distinto. Es un amor espiritual.

—No es cierto. Es un amor carnal como el de todos, ahora lo sé. —Amelia se levanta, enérgica—. Te adivino lo que vas a decirme: la carne y el espíritu son una misma esencia. Pero no es cierto.

El padre Amaro guarda silencio. Bebe hasta el final el vino de la copa y se inclina para dejarla en el mantel.

—Hay muchos sacerdotes que cuelgan la sotana y se casan.

—Yo no.

—Podríamos irnos lejos.

—¿Y terminar como un profesorsucho en la prepa? ¿Sin dinero, sin estatus, sin dignidad? ¿Buscando trabajo dondequiera, ignorado por la gente?

—Eso no es lo importante.

El padre Amaro se exalta. Habla casi a gritos:

—Lo importante es mi vocación. Todo lo que aprendí en el seminario/ teología moral, exégesis, biblia, sólo sirve siendo sacerdote. Como sacerdote me formé y como sacerdote quiero ser alguien en la Iglesia.

—Nada más piensas en ti.

—Y en qué otra cosa quieres que piense, carajo.

—En nosotros.

Ahora es Amelia quien se exalta:

—Pero a ti no te importa nuestro amor, ¿verdad? Eres un egoísta que no sabe renunciar a nada. Quieres todo: a Dios y a mí; a tu Iglesia y a esta tonta que te ama por encima de todo. ¡Egoísta, egoísta!

El padre Amaro se sacude la hierba de la chamarra. Parece dar por terminado el día de campo:

—Ya se me hizo tarde. Te veo mañana en misa.

La sequedad del padre Amaro desconcierta a Amelia. Se empieza a arrepentir poco a poco de su actitud.

—Espérate —dice—. No te vayas todavía.

Pero el padre Amaro ya camina por la vereda que conduce al pueblo.

Amelia se pone a gritar y a llorar mientras el sacerdote se aleja:

—¡Perdóname, perdóname!

49

El padre Benito sale del confesionario. Se quita la estola, la besa, y arrodilla una sola pierna al cruzar a un lado del altar rumbo a la sacristía.

Allí, Martín está guardando cuatro botellas de vino

de consagrar en el armario de objetos litúrgicos. El padre Benito se desprende de la sotana para quedar en pantalón y camisa. Le tiende la sotana a Martín.

—¿Usted conoce a las monjas clarisas, padre? —pregunta Martín como por casualidad.

—El que las conoce bien es el padre Galván. Les dice misa todos los días y las confiesa. ¿Por qué?

—Es que con ellas se piensa meter de monja la niña Amelia.

—¿Amelia de monja? —se burla el padre Benito.

—Eso me dijo el padre Amaro. La está preparando desde hace mucho.

—Desde hace mucho, ¿dónde?

—Me dijo que era secreto —dice Martín.

50

Consulta a cada rato su reloj. Mira y remira por la ventana del tapanco. Camina de aquí para allá, de allá para acá.

Al final, debajo, se escucha ruido de alguien que entra, y los gruñidos de Getsemaní. ¿Amelia? No parecen los pasos de Amelia. Son los pasos y la voz ronca de un viejo que pregunta:

—¿Y el padre Amaro?

La voz de Getsemaní se vuelve escándalo. Profiere palabras torcidas, frases incoherentes, pero sobre todo gruñidos que acompañan el estruendo de objetos contra la pared.

El padre Amaro decide bajar del tapanco.

—Eres un cabrón —le escupe el padre Benito apenas lo ve.

La discusión entre el padre Benito y el padre Amaro se aplaza hasta que ambos se instalan en la sala-biblioteca de la casa cural.

—Es una chiquilla, ¿no te diste cuenta?

—Los dos sabemos lo que estamos haciendo.

—Pero tú eres sacerdote.

—También soy hombre.

—Hiciste voto de castidad.

—¡Porque me obligaron!

La petulancia del padre Amaro exaspera al padre Benito, quien decide pasear por la sala en silencio. Al fin dice:

—Voy a tener que informarle al señor obispo.

—No va a informarle nada, padre.

—Ya verás si no, ¡muchacho arrogante!

—Entonces me obligará a decir lo que yo sé de la Sanjuanera.

El párroco se entiesa. Agranda los ojos. Contiene su rabia.

—Lo de la Sanjuanera es distinto. Esa pobre mujer/

Lo interrumpe el padre Amaro:

—Es lo mismo, padre.

El padre Benito se pone a respirar hondo como si le faltara el aire.

—¿Me estás chantajeando? —pregunta. Pero el padre Amaro solamente lo mira con ojos de cuchillo.

51

Por órdenes del obispo —no por obra de la providencia, como quisiera pensar el joven sacerdote—, el padre Amaro se ausenta de Los Reyes un par de semanas. Ha tenido la suerte de acompañar al prelado a la conferencia episcopal que se efectúa en la Ciudad de México, y en su carácter de secretario se ha comportado con una eficiencia admirable, según comenta luego el obispo de la diócesis de Aldama al arzobispo primado.

A su regreso, el padre Amaro sólo piensa en encontrarse con Amelia. La descubre en la misa del miércoles y se apresura dentro de la sacristía —sin intercambiar palabra alguna con Martín— a quitarse los ornamentos para alcanzar a la muchacha en el atrio.

Al salir de misa, Chepina pregunta a Amelia:

—¿Por qué ya no comulgas?

Amelia le responde con una pregunta que había quedado pendiente:

—¿Qué me decías de Rubén?

—Le habló a mi novio. Dice que está trabajando en México en un periódico muy importante.

—Menos mal.

—¿Todavía lo odias, Amelia?

—Todavía.

Casi corriendo el padre Amaro sale del templo y alcanza a la muchacha. Interrumpe la conversación con Chepina.

—Necesito hablar contigo.

Chepina hace un gesto, como despidiéndose de su amiga, y se encamina hacia la reja del atrio, dolida de que el sacerdote la ignore como siempre.

El padre Amaro y Amelia se repegan en un costado del templo, lejos de los mendigos y de los fieles rezagados.

—Te extrañé muchísimo —dice el padre Amaro.

—¿De veras?

—Ya no tuve tiempo de hablarte cuando me fui, todo se complicó horrible porque ahora es imposible vernos donde mismo. Tenemos que buscar/

—Estoy embarazada —lo interrumpe Amelia.

El padre Amaro respinga.

—¿Estás segura?

—¿Es lo único que se te ocurre decirme?

Se miran un rato en silencio. Amelia espera una reacción, un gesto, una sonrisa, pero él se mantiene paralizado. Entonces la muchacha gira el cuerpo y se echa a andar de prisa por el atrio. Va llorando.

El padre Benito acomoda libros en los estantes de la sala-biblioteca cuando mira de reojo al padre Amaro que entra. No se da la vuelta al preguntarle:

—¿Cómo te fue con el señor obispo?

—Bien, muy bien. Resultó muy interesante la conferencia.

—Ya me imagino, rodeado de altísimos jerarcas.

—Mucho trabajo.

—¿Te va a nombrar por fin su coadjutor?

—Para nada. Quiere que me quede en Los Reyes ahora más que nunca.

—Pues qué suerte para mí —enfatiza su tono irónico el padre Benito.

Continúa acomodando libros.

El padre Amaro se aproxima:

—¿Puedo hablar con usted, padre?

—¿Para confesarte?

—Tal vez el que necesita confesarse conmigo es usted.

Una oleada de furia invade la cabeza del párroco. Deja caer los libros y se da la vuelta para soltar una palabrota contra el padre Amaro, pero una punzada brutal se lo impide. Se lleva la mano al brazo izquierdo y se derrumba como acribillado.

El Doc menea la cabeza frente al padre Benito, metido en la cama. Lo flanquean la Sanjuanera y el padre Amaro.

—Las coronarias otra vez.

—¿Está grave? —pregunta la Sanjuanera.

—Se necesita operar. Hay que llevarlo a Ciudad Aldama aunque sería mejor a México, en avión.

—Imposible —dice el padre Amaro.

La Sanjuanera no lo piensa dos veces. Toma la libretita de la mesa de noche, busca un nombre en las páginas y se pone a teclear el teléfono.

Desde la cama murmura el padre Benito:

—Si ya me voy a morir, déjenme. Estoy en paz con Dios.

La Sanjuanera habla apuradamente por la bocina:

—Con don Chato Aguilar, por favor, es muy urgente.

Al oír el nombre de Aguilar, el padre Amaro se precipita hacia la Sanjuanera para arrancarle el teléfono.

—No le puede hablar a ese tipo.

La Sanjuanera empella al padre Amaro.

—Claro que puedo. ¡Es la vida de Benito!

La camioneta último modelo del Chato Aguilar, conducida por el grandulón y con el propio Chato Aguilar a bordo, está llegando a una pista de aterrizaje clandestina en el llano donde empiezan las cañadas. También viajan en ella, en el asiento trasero, la Sanjuanera y el padre Benito cubierto con un sarape. Un automóvil negro con cuatro asistentes empistolados los sigue a poca distancia.

El vehículo se detiene frente a una avioneta de hélice. Ayudados por el grandulón, descienden el padre Benito y la Sanjuanera, que carga una maleta. El grandulón levanta en brazos al padre Benito y lo conduce hasta el interior de la avioneta. Dos asistentes del automóvil negro auxilian a la Sanjuanera con la maleta y con el trajín de ayudarla a subir al aparato, estorbada siempre por su obesidad.

Antes de abordar la avioneta, la Sanjuanera abraza al Chato Aguilar.

—Un millón de gracias, don Chato. Que Dios se lo pague.

—Cualquier cosa que necesiten me llama —dice el Chato Aguilar—. ¡Suerte!

La avioneta se eleva al fin. El Chato Aguilar observa a la distancia el rápido despegue.

—Te doy el tiempo necesario para que busques otro trabajo —dice el padre Amaro a un Martín contrito en la sacristía del templo.

—Yo no quise perjudicarlo, padrecito.

—Cuando regrese el padre Benito ya debe estar aquí otro sacristán.

Martín no decide aguardar ese tiempo necesario que le ofrece el sacerdote. Apenas el padre Amaro abandona la sacristía, él sale apuradamente rumbo a su vivienda. Ocupa toda la mañana y parte de la tarde en trasladar sus triques, algunos de sus muebles y su ropa, a la zona de carga de un carromato tirado por una mula.

Lo último que sube Martín al vehículo es a Getsemaní. De su camastro a la zona de carga lleva a su criatura envuelta en una cobija mientras la tranquiliza con palabras cariñosas.

El carromato deja atrás Los Reyes.

56

Cuando el padre Amaro entra en su cuarto, encuentra a Amelia como una aparición. La muchacha lo recibe con una sonrisa. Trata de ser amable, normal, como antes.

—Ya no has ido a la fonda.

—Ni tú a misa.

—Tenemos que hablar.

—De qué.

—De mi embarazo.

—¿Se lo dijiste a tu madre?

—A nadie. Pero no sé qué hacer. No puedo pensar.

El padre Amaro se entretiene abriendo un cajón del armario. Saca un pañuelo. Luego cuelga su suéter en un gancho del clóset.

—Podrías irte a otro pueblo o a Ciudad Aldama. ¿No tienes familia en Ciudad Aldama?

—Mi madrina vive en Santa Marta.

—Pues podrías irte a Santa Marta los nueve meses y tener a tu hijo allá. Luego darlo en adopción.

—¿Eso quieres? ¿Que renuncie a mi bebé?

El padre Amaro se aproxima.

—Entiéndeme, Amelia, soy sacerdote. No puedo poner en riesgo mi apostolado. Tú los sabías desde el principio.

Amelia no consigue mantener la tranquilidad que había planeado. Hace lo que se prometió no hacer: gritar.

—¡Eres un egoísta, idiota! ¡Sólo piensas en ti!

—Cállate.

—¡Idiota, idiota!

Acicateado por los insultos, el padre Amaro intenta

golpear a Amelia en el rostro. Detiene a tiempo el ademán.

—¿Vas a pegarme? ¿Con esa mano que consagra la hostia vas a pegarme?

El sacerdote deja caer su brazo como si se le marchitara. Se angustia. Luego avanza para estrechar a Amelia mientras suplica:

—Perdóname, Amelia. ¡Perdóname, perdóname!

Se trenzan. Se besan. Se precipitan en la cama y empiezan a fornicar como dos adultos desesperados.

Quince minutos después, desnudo bajo las sábanas, el padre Amaro observa a Amelia vestirse. El semblante de la muchacha refleja su pesadumbre.

—Rubén anda por aquí —dice Amelia mientras se abotona la blusa.

—¿Rubén, tu novio?

—Está trabajando en México pero vino a visitar a su papá.

—¿Ya lo viste?

—Tal vez Rubén quiera casarse conmigo. Le daría un apellido a mi hijo.

—¿Te gustaría?

—Por salvar a mi hijo yo haría cualquier cosa.

Desde la cama, el padre Amaro se lleva las manos por detrás de la cabeza angulando los brazos:

—Podría ser una solución.

57

Suena el timbre en casa de don Paco y Rubén sale a abrir.

—¿Qué andas haciendo por aquí?

Por la puerta abierta Amelia alcanza a distinguir a don Paco en el sillón. El padre de Rubén ya no trae la cabeza vendada pero se ha puesto su vieja gorra vasca. Don Paco también ve a la muchacha.

—Pásale al infierno, Amelita.

Rubén abre más la puerta para que la muchacha entre.

—¿Se te antoja una copita de jerez, un whisky?

—No señor, gracias.

Amelia se vuelve hacia Rubén para decirle bajito:

—Quería hablar contigo.

—¿Ya palmó el padre Benito, hija? —los interrumpe don Paco desde el sillón.

Como Rubén no está enterado, pregunta:

—¿Qué le pasó?

—Le dio un infarto y se lo llevó a México el Chato Aguilar —responde don Paco—. Para que luego juren que la Iglesia no tiene nada que ver con el narco.

—Ya, papá, no friegues —dice molesto Rubén. Toma del brazo a Amelia y sin despedirse de su padre salen ambos a la calle.

Caminan por el parque de fresnos. Hablan tonterías hasta que Amelia dice, nostálgica:

—Querías casarte conmigo, ¿te acuerdas?

—Estaba loco por ti.

—¿Ya no?

—¿A poco tú te casarías conmigo, ahora?

—Me gustaría empezar de otro modo. Tal vez casarnos y luego irme a vivir a México o a cualquier otra parte.

Rubén no responde. Toman asiento en una banca y permanecen un rato largo mirando cómo el heladero Piolín sirve a un chiquillo pecoso dos bolas de nieve de fresa en un sorbete.

—Ya no me quieres, ¿verdad? —dice Amelia.

—Ya no. Se me acabó el amor de golpe./ Perdóname que te lo diga así.

—Para nada. Siempre me gustaste por sincero.

58

Mientras toma un baño de tina, el obispo habla con el padre Amaro por un celular.

—Pues sí, pues, hijo, me preocupa que esté enfermo, pero Dios sabe lo que hace, el padre Benito ya cumplió su misión en la tierra. Avísame cuando tengas noticias.

Se distrae viendo las burbujas que se revientan en el agua.

—Lo que me preocupa más es el padre Natalio, pues. Si no quiere aceptar otra diócesis, que me ha costado un güevo conseguirle, yo no puedo aguantar más. De eso quiero que hablemos el viernes, hijo. Cuídate. Ave María purísima/

—Sin pecado concebida —responde el padre Amaro desde Los Reyes y cuelga la bocina. Teclea de inmediato el teléfono de la fonda:

—Tengo algo que proponerte, Amelia.

59

Manejando con dificultad el camioncito de redilas, perdiéndose a cada rato por las veredas y brechas que se bifurcan, angustiado por la noche que se avecina, el padre Amaro logra dar con el caserío donde vive el padre Natalio.

Lo encuentra en el galerón techado con una palapa e iluminado ahora por dos lámparas de petróleo. Buena parte de la comunidad se encuentra ahí, velando el cadáver de un hombre tendido en un ataúd de madera: es el cacarizo. Las mujeres rezan la letanía del rosario.

—Nos volvieron a atacar los narcos. Hay tres heridos más.

—Tienes que dar parte a la guardia municipal, Natalio.

—No te apures. Aquí arreglamos las cosas de otro modo.

Salen del galerón y caminan hasta un tejabán donde también hay una lámpara de petróleo alumbrando.

—Llego en un mal momento, ¿verdad?

—Esto es de lo más común para nosotros —dice el padre Natalio—. ¿Qué te trae por aquí?, ¿el obispo?

El padre Amaro le tiende un papel doblado.

—¿Qué es?

—Un fax del señor obispo.

El padre Natalio se esfuerza por leer el escrito a la luz de la lámpara.

—El decreto. Suspensión *ad divinis* contra ti. Estás fuera de la Iglesia, Natalio. No puedes oficiar ni impartir los sacramentos. Tienes que presentarte con el señor obispo.

Con absoluta tranquilidad, sin aspavientos, el padre Natalio rompe en cuatro partes la hoja de papel y tira al aire los trozos.

—No voy a presentarme con nadie. Si me echan, ya estoy aquí y aquí me quedo, como un campesino más.

—Me imaginé que eso me ibas a decir.

Abandonan el tejabán y se dirigen a donde quedó el camioncito de redilas. El padre Amaro está a punto de subir a la cabina. Se arrepiente.

—¿Te podría hacer una consulta?, de tipo moral.

—Mi fuerte es la praxis —sonríe Natalio.

—¿Qué piensas del aborto?

—Aquí casi nunca tenemos ese problema. En tu parroquia sí, por lo visto.

—¿Estás en favor o en contra?

—No sé. Tal vez en algunos casos habría que considerarlo, pero en principio estoy en contra. ¿Y tú?

El padre Amaro sube a la cabina del camioncito para darse tiempo a pensar y a responder. Ya dentro dice:

—Yo también estoy en contra.

60

Igual que le sucedió en las cañadas, para encontrar el jacal de Dionisia en la zona marginal más miserable de Los Reyes, el padre Amaro ocupa un tiempal. A pregunte y pregunte, desorientado por señalamientos equívocos de que por aquí o de que por allá o de que tuerza en los lavaderos y sígase de frente hasta el poste donde dizque iban a poner luz, el sacerdote llega desesperado y muy molesto, sudoroso, hasta la cueva de Dionisia y sus gatos.

La beata se llena de aspavientos cuando lo ve. Lo primero que hace es presentarle a los santitos de sus estampas y a los gatos que durante toda la plática no dejan de chillar y saltar de un lado para otro.

—¿Cómo está la muchachita?, ¿feliz? —pregunta Dionisia mostrando su dentadura despostillada.

Además de cansado, el padre Amaro está muerto de nervios, pero tiene que decir lo que tiene que decir:

—Alguien me dijo en el confesionario que usted sabía de una doctora/ o de un doctor, no sé/ de esos que se dedican a/

—¿A qué, padrecito?

—A traer niños al mundo/ y también a/

—¡Ave María purísima! ¿La muchachita está cargada?

—Y también a/

—Usted quiere un aborto, padrecito —sonríe la beata mientras el padre Amaro se limpia el sudor y extrae de su chamarra un bulto de billetes que le entrega.

—No sé si falte más.

Dionisia toma el dinero. Mojándose los pulgares cuenta billete por billete, muy despacio.

—Sí, falta mucho pero no se apure, padrecito, luego nos arreglamos. Primero tengo que ver y le aviso con tiempo.

Cuando el padre Amaro sale del jacal, la gata negra atrapa de golpe, justo frente a él, una rata enorme.

También le resulta tortuoso y complicado el camino de regreso. Va rezando como en sus tiempos del seminario cuando se metía en apuros. Pedía entonces a la virgen santísima, santa madre de Dios, virgen de las vírgenes, consoladora de los afligidos, que le hiciera el milagro de pasar el examen de exégesis comparada. Ahora necesita pedirle algo más difícil pero no imposible para quien llevó en su seno al mismísimo Jesús. No me desampares en esta hora crucial, madre mía. Haz un milagro, sálvame.

61

Amelia acude a la cita con el padre Amaro en el templo vacío, al atardecer. Él está sentado en la banca donde se besaron por vez primera tres o cuatro meses atrás.

—Me habló mi mamá de México.

—Qué pasó.

—Operaron al padre Benito y todo salió muy bien, gracias a Dios. Parece que regresan en dos semanas.

—Debes sentirte muy contenta.

Amelia toma asiento pero no muy cerca del padre Amaro.

—De lo que me dijiste por teléfono, ya lo pensé. Estoy dispuesta.

—Tienes que hacerlo por tu propia voluntad. Piénsalo más.

—Lo quiero hacer por ti.

Los ojos de Amelia brillan como dos puntitos luminosos, quizá por las lágrimas. El padre Amaro extiende su mano para tocar la de Amelia, pero ya no siente esa emoción de los dedos de la chica que buscaban los suyos en la fonda de la Sanjuanera.

62

En el cobertizo, junto a lo que era la vivienda de Martín, aguardan el padre Amaro y Amelia. Él ha orientado el camioncito de redilas hacia la brecha. Amelia ya está dentro, en la cabina. El padre Amaro aguarda de pie, repegado al camión.

Una figura vuelta sombras se acerca. La ilumina la lámpara sorda del padre Amaro. Es Dionisia.

—Qué puntual, padrecito. Como debe ser.

Dionisia se instala en la cabina. Amelia queda entre ella y el sacerdote. La mano de la beata trata de acariciar la mano de Amelia, pero la muchacha aparta la suya como si se quemara.

En la noche cerrada los faros del camioncito de redilas van alumbrando la brecha. Tumbos y zangoloteo.

—Derecho derecho —va indicando Dionisia—. En la próxima desviación tuerza a la izquierda.

—Todo va a salir bien —dice el padre Amaro.

Llegan diez minutos después a la desviación, y un poco más adelante a un pequeño edificio de dos plantas escondido entre fresnos y matorrales. Salen los tres del camioncito de redilas.

La construcción tiene una luz potente a la entrada que ilumina buena parte de la zona, y se alcanza a adivinar un pasillo largo de acceso.

—Todo está muy limpiecito, es un hospital —dice Dionisia.

La beata toma a Amelia de una mano para conducirla hasta la puerta encristalada.

La sigue el padre Amaro:

—Quiero hablar con la doctora.

—Usted no puede entrar, padrecito. Yo me encargo.

—Tengo que ver el lugar.

—No se puede.

Luego que Dionisia pone el alto al sacerdote, frota sus dedos como para indicar dinero. El padre Amaro mete la mano en el pantalón para sacar unos billetes doblados que Dionisia le arranca. Sonríe con malicia la beata.

—Ven, Amelita.

Dionisia y Amelia avanzan hasta la puerta. Ahí la muchacha vuelve la cabeza hacia el sacerdote:

—Reza por mí.

Un viejo que cumple funciones de velador y guardián ha observado a los visitantes desde que apareció el camión de redilas. Camina hacia el padre Amaro cuando éste se aparta de la construcción, tensándose el cabello, y toma asiento en un pedrusco a pocos pasos.

Se escuchan los ruidos de la noche: grillos, zumbar de viento, lejano ladrar de perros.

—Buenas noches —dice el viejo.

—Buenas noches.

—¿Ya no se acuerda de mí?

El padre Amaro levanta la cabeza y mira al viejo. Por supuesto, no lo conoce.

El viejo le tiende una cajetilla de Faros. El padre Amaro duda pero extrae un cigarrillo, y con un encendedor el viejo prende los cigarrillos de ambos.

—Nos conocimos en un camión foráneo, ¿ya no se acuerda?

El padre Amaro chupa el cigarrillo. Arroja el humo.

—Cuando nos asaltaron.

Vuelve a mirar al viejo. Hasta ese momento recuerda.

—Usted me dio una lana que me salvó del apuro. Creo que ni siquiera le di las gracias pero nunca me olvido de lo bien que se portó. Ya no hay gente así.

—Hace mucho tiempo.

—No pude poner la tiendita, ¿se acuerda?, y anduve vagando hasta que encontré trabajo aquí de velador.

—En el hospital.

—Así le dicen.

El padre Amaro fuma una segunda vez y deja caer el cigarrillo. Lo frota contra la tierra con la punta del zapato.

—¿Vino a que alivien a su novia?

—Vine a que me alivien a mí.

—No se apure, casi todas salen bien. Jodidas, pero contentas.

De la construcción escapa corriendo Dionisia. Grita:

—¡Una hemorragia! ¡No le para!

El padre Amaro se levanta de un solo impulso y como un desesperado corre hasta la puerta encristalada. La abate. Cruza ansioso por el pasillo. Dos mujeres con batas manchadas de sangre tratan de detenerlo pero él se precipita hasta el cuarto donde encuentra a Amelia tendida y sangrante. La levanta en brazos y sale corriendo con la muchacha hasta el camioncito de redilas. La sube a la cabina trabajosamente. También Dionisia trata de subir con ellos sin dejar de ademanear y de gritar, pero el padre Amaro la aparta de un empellón. Luego es el viejo campesino el que la sujeta.

—Por ahí derecho sale. En Santa Marta hay un buen hospital.

—¡No me deje! —grita Dionisia desesperada.

El padre Amaro toma el estrecho camino que le ha señalado el viejo. Conduce a lo más que jala el camioncito de redilas. A su lado, en la cabina, Amelia no deja de sangrar.

—No me quiero morir.

—No te vas a morir, mi amor.

Llegan por fin a la carretera pavimentada y por ahí sigue rugiendo el camioncito de redilas.

—Te quiero. Te quiero. Te quiero —va diciendo Amelia.

Sudando, angustiado, el padre Amaro grita sin soltar el volante:

—¡Virgen Santa, no!

63

El presidente municipal desayuna chilaquiles con salsa roja en el comedor de su casa. Amparito lo acompaña pero sólo con un jugo de toronja.

—Pobre muchacha, imagínate —dice Amparito.

—Bueno sí, ¿pero qué pasó?

—Pues que el tal Rubén, el hijo de don Paco, la había embarazado, imagínate.

—Ese mequetrefe.

—Entonces la Amelita desesperada se fue a abortar a una de esas clínicas horribles.

—¿De veras?

—Las tienes que cerrar, gordo, son clandestinas. Y meter a todos en la cárcel.

El presidente municipal saborea los chilaquiles, están riquísimos.

—¿Y qué pasó?

—Lo que pasó es que el padre Amaro, que es un santo, la fue a salvar no sé ni cómo.

—¿Y la salvó?

—La sacó de ahí y se la llevó a un hospital de Santa Marta, pero la pobrecita ya se había desangrado.

—Y se murió.

—Pues sí, se murió.

—Qué barbaridad.

—Tienes que cerrar esas clínicas, gordo, pero hoy mismo.

64

En el templo de la Inmaculada hay un nuevo sacristán de nombre Toribio. Es muy joven, como de dieciocho años. Es él quien ayuda al padre Amaro a ponerse los ornamentos para la celebración. El sacerdote acciona en silencio, obediente al ceremonial y a la precisión de siempre. Sale de la sacristía con los dedos entrelazados.

Es un martes cualquiera y el padre Amaro invita a los pocos fieles reunidos en el templo a empezar el sagrado sacrificio de la misa pidiendo perdón por nuestros pecados, dice.

Los fieles acompañan en voz alta el rezo del sacerdote, quien llegado el momento se golpea el pecho suavemente con la mano abierta.

—Yo me acuso ante Dios padre todopoderoso y ante ustedes, queridos hermanos, porque he pecado de pensamiento, palabra, obra y omisión. Por mi culpa, por mi culpa, por mi grande culpa...

APÉNDICE

Como guionista de *El crimen del padre Amaro*, la película dirigida por Carlos Carrera y producida mayoritariamente por Alameda Films, me siento obligado a hacer públicas algunas reflexiones, de católico y de escritor, ante el escándalo desatado por miembros de la jerarquía eclesiástica y de organizaciones de laicos que parecen comportarse como sus acólitos.

Me confunde el escándalo. Me lastima. Me irrita. Me duele este regreso de mi Iglesia a la penumbra preconciliar.

Hablo con verdad. Nunca pensé que *El crimen del padre Amaro* fuera a armar este revuelo y a provocar los exabruptos que han recogido puntualmente los medios. No imaginaba a qué nivel tan precario había descendido nuestra supuesta discusión ideológica. Acólitos que

115

hablan de un ataque frontal contra la Iglesia desde no sé qué tenebrosos sótanos demoniacos. Sacerdotes que dictaminan pecado mortal a quien vea la película. Obispos que se rasgan las vestiduras y piden la prohibición gubernamental de un film definitivamente anticatólico, gritan.

Decidí no participar en el alboroto y me negué a cualquier entrevista para los medios: ni de banqueta, ni de mesa redonda, ni de reflexión formal. Nada había que defender porque la cinta se expresaba por sí misma, pensé, y porque cada quien tenía derecho a interesarse en ella o rechazarla por razones ideológicas o cinematográficas. No era obligatorio ir a verla, por supuesto, pero empecé a temer, sigo temiendo que un gran número de espectadores acuda a las salas movido más por el escándalo que por la reflexión religiosa y social que la historia motiva, según pienso.

Durante días estuve dando vueltas al asunto, lo comenté con Estela, y con su impulso terminé escribiendo estas líneas, un poco a vuelapluma, aturdido por el sinnúmero de tonterías y de acusaciones exacerbadas que no dejo de escuchar y de leer por dondequiera. No diré más de lo que aquí digo porque la historia de esta historia exige reposo, serenidad, oración. No es asunto de vital importancia y se antojan de pena ajena los razonamientos disparatados de mis hermanos en la fe que parecen ignorar la accidentada historia de nuestra Iglesia.

Algo me duele al pergeñar esta respuesta: el peligro de lastimar con mis palabras a sacerdotes y católicos que me honran con su amistad. Quiero advertirlo de antemano: cuando hablo de la clase clerical, lo expreso genéricamente. La mayor parte de los sacerdotes que frecuento nada tienen que ver con mis acusaciones. Están al margen, a salvo. Muchos de ellos, incluso, sufren desde dentro la problemática que apunto, quizás exagerada. Otros no comparten conmigo cierto radicalismo adolescente que no consigo superar. De unos y otros recibo de continuo fortaleza y sabiduría que me edifica y me contagia. Su consagración al sacerdocio, su asombrosa entrega a la aventura de la fe mantiene viva en muchos laicos, y desde luego en mí, la esperanza de una Iglesia Pueblo de Dios que camina confiada por ese valle tenebroso al que alude el salmo de Isaías. A esos sacerdotes que me conocen dedico este breve escrito, para diferenciarlos.

Quiero empezar anticipando una obviedad. Unido a todos los participantes de la película soy corresponsable, con Carlos Carrera, de la puesta en pantalla de esta historia de ficción. Además de su espléndida factura y de sus valores intrínsecamente cinematográficos, la película corresponde con fidelidad a la propuesta del guión. Cuenta lo que pretendí contar, con hallazgos por limadura o añadidura del propio Carrera. Sólo discrepo de él en algunos momentos de la película, pero mis objeciones son secundarias: no atemperan de modo alguno mi entusiasmo por un trabajo cuya autoría es a fin de cuentas de él: del director Carlos Carrera.

Como se sabe, la historia de la que deriva esta libérrima versión es una novela de José María Eça de Queiroz escrita a fines del siglo diecinueve. Se emparenta con la célebre *La regenta* del zamorano Leopoldo Alas *Clarín* y con muchas otras anécdotas narrativas —desde el *Decamerón* hasta *El abate Mouret* de Zola— de curas incontinentes. Causaron escándalo en su tiempo, pero ahora ya no asustan a nadie. Frente a la gran novelística católica del siglo veinte se antojan historias inocentes porque su extremado costumbrismo les impide ahondar en problemas dogmáticos o en conflictos teológicos. Se limitan a señalar los comportamientos pecaminosos del clero, las torcidas politiquerías de la jerarquía eclesiástica, el aburguesamiento de los servidores de Dios. Son, si se quiere, novelas anticlericales; casi nunca anticatólicas, ¡por Dios!

De esa inocencia doctrinal y de esa ortodoxia que jamás lastima los dogmas de nuestra fe, participa nuestra versión cinematográfica de *El crimen del padre Amaro*. En ningún momento se impugna la divinidad de Jesucristo, ni la virginidad de María, ni la autoridad del Santo padre, ni la existencia del infierno, ni la presencia de Cristo en la hostia consagrada. Algunas secuencias pueden resultar irreverentes, agresivas, pero ninguna tiene un contenido herético.

Que el sacerdote incontinente envuelva con un manto destinado a una imagen de la Virgen el cuerpo de su amada, antes de hacerle el amor —así lo propone Eça de Queiroz en su libro—, puede lastimar nuestro pudor litúrgico, irritarnos por el desacato, ¡claro que sí!, pero define muy bien la psicología amorosa de un muchacho recién salido del seminario.

Que una beata loca alimente a sus gatos con hostias consagradas crispa desde luego a cualquier creyente, pero en ningún momento se hace de ello una apología; no se le presenta con burla ni con escarnio antirreligioso, sino como lo que es: un sacrilegio cometido por un ser demoniaco que a la vuelta del tiempo —lo que son las cosas— conducirá al padre Amaro a su perdición moral.

Presentar la irreverencia, el pecado o el sacrilegio en una novela o en una película no significa cometer irreverencia, pecado o sacrilegio; eso lo entiende el menos docto en cuestiones creativas. El irreverente de la escena del manto no es Carlos Carrera, ni Gael García Bernal, ni yo; es el padre Amaro: así de simple y así de exacto. Y el sacrilegio con las hostias no lo comete Carlos Carrera, ni Luisa Huertas, ni yo, sino la beata Dionisia: tal vez el demonio.

El dramaturgo, el novelista, el cineasta, se asoman a la vida para describirla y para descubrirla, para desentrañarla, para tratar de comprender el maravilloso fenómeno humano. Se empapan de vida, lo que significa —en términos cristianos— llenarse de gracia y ensuciarse de pecado: la principal materia prima con que se trabaja cualquier obra de ficción. Y sólo reconociéndonos en el pecado de los otros, que es el de nosotros —hablando siempre en términos cristianos—, podemos alcanzar la redención cumplida en Cristo. Eso pienso. No sé.

Lo que sí sé de cierto, lo que sospecho —para no exagerar— es que no son esas situaciones laterales de irreverencia o de sacrilegio las que han irritado hasta el paroxismo a los miembros de la jerarquía eclesiástica o a sus acólitos. Lo que les enoja es la visión anticlerical, que no antirreligiosa —lo cual es muy distinto— que deriva por fuerza de la historia cinematográfica del padre Amaro.

Pero una cosa es que la historia provoque el enojo legítimo del clero diocesano, directamente aludido y acusado en este melodrama, a que el clero diocesano declare a voz en cuello que la película es un ataque a la Iglesia católica. El clero diocesano con todo y nuestros señores obispos y cardenales son parte de la Iglesia católica —parte importante y significativa, desde luego—, pero no son La Iglesia católica. También los laicos, incluso los acólitos, somos Iglesia católica, y como miembros de ese pueblo de Dios tenemos el derecho y la obligación de señalar y denunciar, hasta despotricar, llegado el caso, contra lo que ocurre en nuestra realidad religiosa.

En ese entendido, los que nos dedicamos a la ficción, ficcionamos, y no es necesario ir demasiado lejos para descubrir sacerdotes incontinentes, pobrecillos, o para detectar —lo que sí es grave— la sucia política eclesiástica que transita desde el Vaticano hasta nuestros palacios arzobispales. Con esos elementos conformamos nuestra narrativa o nuestra dramaturgia. Al menos yo lo he hecho así desde que comencé a escribir. Y lo hago desde la fe, porque la fe ha sido siempre el más potente de mis motores literarios. El resultado no siempre es bueno, lo cual es una lástima, pero ésa ya es otra cuestión que no compete a los asuntos religiosos.

Cuando el productor Alfredo Ripstein (primero en 1994 y después en 1998) me propuso hacer un guión cinematográfico de la novela de Eça de Queiroz, acepté sin pensarlo dos veces precisamente por eso: porque el asunto pertenecía a mi temática obsesiva y porque esa temática obsesiva me iba a permitir decir muchas cosas que necesitaba decir sobre mi Iglesia: nuestra pobre Iglesia desacreditada ante el mundo de los incrédulos o de los indiferentes por un clero que ha enfermado de soberbia y de ceguera en este amanecer del nuevo siglo.

El asunto de la incontinencia sexual de un sacerdote, básico en la novela portuguesa, no presentaba problemas para la adaptación si se conservaba el lugar común, de cierto modo ortodoxo: padre Amaro con muchacha quinceañera. La verdad es que el conflicto se convirtió en ingenuo cuando se destapó hace unos meses, internacionalmente, la epidemia de los sacerdotes pederastas. En lugar de padre Amaro con muchacha adolescente, la realidad exigiría haber planteado padre Amaro con infante o padre Amaro con novicio púber. Frente al célebre caso del padre Maciel, fundador de los Legionarios de Cristo, nuestro padre Amaro seducido por Amelia se antoja poco menos que un santo.

Y sobre los crímenes del padre Maciel, protegido de nuestro papa y de nuestros jerarcas, no hay institución de laicos que arme alboroto, que exija cuentas, que organice escándalos. El padre Athié levantó la mano para exponer su verdad, y el poder aplastante de nuestra jerarquía eclesiástica le ha hecho pagar su atrevimiento.

Lo grave es que Maciel es un hombre de carne y hueso. Amaro es de ficción.

Pienso que al episcopado mexicano le enoja también la película por el tema de las narcolimosnas, bien documentado en América Latina por estudiosos como Leonardo Boff. No hay duda de que los Escobar de Colombia y los Arellano de México o el Señor de los cielos tendrían mucho que decir sobre un asunto que evidentemente preocupa a nuestros cardenales Sandoval y Rivera. ¿O es acaso inverosímil el episodio que aborda las narcolimosnas en la película? ¿Es calumnioso? ¿Son ganas malsanas y enfermizas por denostar a como dé lugar a nuestro clero?

De la teología de la liberación podría decirse algo semejante. Introduje el tema inventando al padre Natalio, que luego interpretaría Damián Alcázar, y debo decir que el tratamiento de este personaje, la conformación de su breve y dramática historia, fue lo que más me satisfizo en la escritura del guión.

No es un tema grato a la jerarquía, desde luego. La mayoría de nuestros obispos lo consideran resuelto: es decir, condenado, sepultado, definitivamente olvidado. La verdad es que la forma en que nuestra Iglesia eclesiástica, desde el papa Juan Pablo II hasta nuestros preclaros obispos, desacreditaron y condenaron la teología de la liberación hasta borrarla del pensamiento religioso, representa uno de los más dolorosos momentos de nuestra historia eclesial.

Una Iglesia conservadora —por simplificar el término— acabó degollando, casi destruyendo a una Iglesia minoritaria que buscaba hacer realidad aquello de la "opción por los pobres". Quienes seguimos de cerca la obra de un pastor como don Sergio Méndez Arceo, no dejamos de lamentar y denunciar las tretas con que el episcopado mexicano ha tratado de borrar, en el estado de Morelos, toda huella de don Sergio. Dos sucesores indignos empuñaron la picota: el dudoso cardenal Posadas y el inefable Luis Reynoso. Lo mismo harán en Chiapas, no cabe duda, con la obra de don Samuel Ruiz.

Con estos temas de nuestro mundo real traté de ir tejiendo la imagen contemporánea del padre Amaro sobre las carcomidas páginas de Eça de Queiroz.Y aunque Carlos Carrera no se reconoce católico, ni siquiera creyente —me parece—, trató como un hermano de fe la elaboración de las secuencias. No fue solamente fiel a la letra de mi guión —del que mucho discutimos y corregimos cómplices—, sino que trató con sumo respeto las delicadas cuestiones de la atmósfera religiosa.

Carrera entendió muy bien que el problema del padre Amaro no es, al fin de cuentas, un problema sexual. Es un problema político. Un problema de poder.

En el momento en que el joven sacerdote avizora un futuro político dentro de la organización eclesiástica, cuando la ambición lo tienta con más fervor que el cuerpo de su chiquilla, el cándido pecado sexual del pa-dre Amaro —fácilmente superable y perdonable— se convierte en un dardo de fuego que lo lanza directamente al crimen. Crimen no entendido como asesinato sino como unión adúltera con el poder. El poder: la segunda tentación que soportó Jesús en el desierto cuando Satán le dijo:"Te daré todo el poder y la gloria de es-tos reinos, porque a mí me ha sido entregada y se la doy a quien quiero. Si me adoras, toda será tuya".

Ése intenta ser el meollo de esta película, el tema central del padre Amaro.

Ése es el mentado poder que suele convertir a un sacerdote en párroco, a un párroco en obispo, a un obispo en cardenal...

La tan criticada frase que pronuncia el presidente municipal (Pedro Armendáriz) en algún momento de la película, proviene de una anécdota biográfica que don Sergio Méndez Arceo nos contó a Estela y a mí hace algunos años.

Cuando don Sergio niño comunicó a su padre su decisión de entrar en el seminario, el padre de don Sergio niño refunfuñó:

"Acuérdate siempre de lo que te voy a decir, hijo. No hay peor política que la negra."

(Publicado en *Proceso*, núm. 1346, 18 de agosto de 2002)

ÍNDICE

El Padre Amaro, de Vicente Leñero
se terminó de imprimir en Octubre de 2003 en
Litográfica Ingramex, S.A. de C.V.
Centeno 162-1, Col. Granjas Esmeralda.
Del. Iztapalapa 09810 México, D. F.